Dla kochan[illegible]
prawnusia żeby
mu mamusia
czytała bajeczki
nawet jak
dorośnie.
Od prababci i pradziadka

Elbląg dn. 29.04.2008r.

STO BAJEK

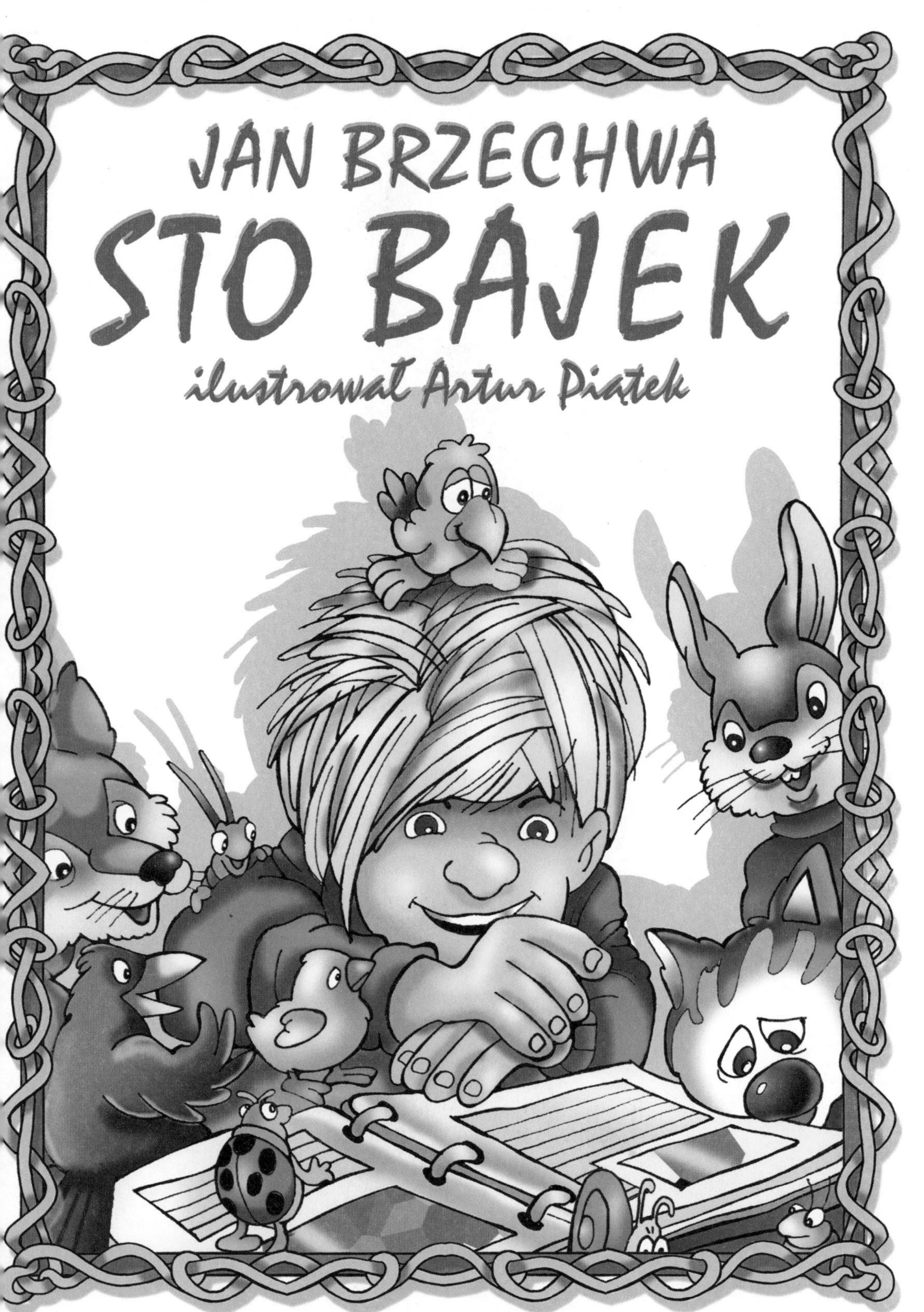

Siedmioróg

Projekt okładki i ilustracje:
Artur Piątek

LEKTURA DLA KLASY IV SZKOŁY PODSTAWOWEJ

ISBN 83-7162-638-X

Księgarnia wysyłkowa Wydawnictwa Siedmioróg
ul. Świątnicka 7, 52-018 Wrocław
www.siedmiorog.com.pl
Wrocław
Druk i oprawa:
Rzeszowskie Zakłady Graficzne S.A.

CO W TRAWIE PISZCZY

CHRZĄSZCZ

W Szczebrzeszynie chrząszcz brzmi w trzcinie
I Szczebrzeszyn z tego słynie.

Wół go pyta: „Panie chrząszczu,
Po co pan tak brzęczy w gąszczu?"

„Jak to – po co? To jest praca,
Każda praca się opłaca."

„A cóż za to pan dostaje?"
„Też pytanie! Wszystkie gaje,

Wszystkie trzciny po wsze czasy,
Łąki, pola oraz lasy,

Nawet rzeczki, nawet zdroje,
Wszystko to jest właśnie moje!"

Wół pomyślał: „Znakomicie,
Też rozpocznę takie życie".

Wrócił do dom i wesoło
Zaczął brzęczeć pod stodołą

Po wolemu, tęgim basem.
A tu Maciek szedł tymczasem.

Jak nie wrzaśnie: „Cóż to znaczy?
Czemu to się wół próżniaczy?!”

„Jak to? Czyż ja nic nie robię?
Przecież właśnie brzęczę sobie!”

„Ja ci tu pobrzęczę, wole,
Dosyć tego! Jazda w pole!”

I dał taką mu robotę,
Że się wół oblewał potem.

Po robocie pobiegł w gąszcze.
„Już ja to na chrząszczu pomszczę!”

Lecz nie zastał chrząszcza w trzcinie,
Bo chrząszcz właśnie brzęczał w Pszczynie.

Pająk i muchy

Pająk na stare lata był ślepy i głuchy,
Nie mogąc tedy złapać ani jednej muchy,

Z anten swej pajęczyny obwieścił orędzie,
Że zmienił się i odtąd much zjadać nie będzie,

Że pragnąłby swe życie wypełnić czymś wzniosłym
I zająć się, jak inni, uczciwym rzemiosłem,

A więc po prostu szewstwem. Zaś na dowód skruchy
Postanowił za darmo obuć wszystkie muchy.

Niech śmiało przybywają i młode, i stare,
A on, szewskim zwyczajem, zdejmie każdej miarę!

Muchy, słysząc o takiej poprawie pająka,
Przyleciały i jęły pchać się do ogonka.

Podstawiają więc nóżki i wesoło brzęczą,
A pająk je okręca swą nitką pajęczą,

Niby mierzy dokładnie, gdzie stopa, gdzie pięta,
A tymczasem wciąż mocniej głupie muchy pęta.

Muchy patrzą i widzą, że wpadły w pułapkę,
Pająk zaś, który dawno miał już na nie chrapkę,

Pogłaskał się po brzuchu i zjadł obiad suty.
Odtąd mówi się u nas: „Uszyć komuś buty”.

Mrówka

Wół
Miał odwieźć do szkoły stół.

Powiada do osła: „Na wieś
Stół ten do szkoły zawieź”.

Osioł pomyślał: „O, źle!”
I rzecze do kozła: „Koźle,

Odwieź ten stół, bardzo proszę,
Dostaniesz za to trzy grosze”.

Zawołał kozioł barana:
„Odwieź ten stół jutro z rana”.

Baran był na podwórku,
Do psa więc powiada: „Burku,

Odwieź, bo mnie nie ochota!”
Pies wezwał do siebie kota.

I warknął: „Kocie-ladaco,
Ty zająć się masz tą pracą!”

Kot stołu wieźć nie zamierza,
Przywołał w tym celu jeża.

Jeż myśli: „Gdzie stół, gdzie szkoł
Więc szczura do siebie woła

I mówi: „Do pracy, szczurze,
Stół odwieź szybko, a nuże!”

Szczur chciał się myszą wyręczy
Lecz mysz nie lubi się męczyć,

Więc rzecze do żaby: „Żabo,
Stół odwieź, bo mnie jest słabo”.

Żaba jaszczurkę zoczyła:
„Jaszczurko, bądź taka miła,

Najmocniej proszę cię, zawieź
Stół ten do szkoły na wieś".

Jaszczurka w pobliskich gąszczach
Zdołała dostrzec chrabąszcza:

„Stół odwieź, chrabąszczu drogi,
Bo bardzo bolą mnie nogi".

Lecz chrabąszcz to okaz lenia,
Powiada więc od niechcenia:

„Wiesz, mucho, zamiast tak brzęczeć
Mogłabyś mnie wyręczyć".

Mucha do mrówki powiada:
„Jest tu okazja nie lada,

Stół trzeba odwieźć do szkoły.
Ty lubisz takie mozoły".

Mrówka,
Nie mówiąc nikomu ani słówka,
Chociaż nie była zbyt rosła,
Wzięła stół i do szkoły zaniosła.

Konik polny i boża krówka

Konik polny z bożą krówką
Poszli raz ku Kalatówkom.

Patrzą w górę – a tu góra
Cała szczytem tonie w chmurach.

Konik polny rzekł pobladłszy:
„Popatrz, góra jak się patrzy!”

Boża krówka aż struchlała:
„Idzie na nas góra cała!”

Co tu robić? Konik polny,
Do decyzji szybkich zdolny,

Rzecze: „Mam ja wyjście prost
Trzeba jej dorównać wzrostem,

W walce z górą ten coś wskóra
Kto się stanie sam jak góra!”

Szybko wzięli się do dzieła,
Boża krówka się nadęła,

Rosła, rosła i pęczniała,
Wkrótce miała metr bez mała.

Rósł też dzielnie jej towarzysz
I wciąż pytał: „Ile ważysz?"

Bo im przecież z każdą chwilą
Przybywało po pięć kilo.

Tak więc rośli, rośli, rośli,
Aż wyrośli znad zarośli,

Aż się stali, daję słowo,
Jedno koniem, drugie krową.

Jeż

Idzie jeż, idzie jeż,
Może ciebie pokłuć też!

Pyta wróbel: „Panie jeżu,
Co to pan ma na kołnierzu?"

„Mam ja igły, ostre igły,
Bo mnie wróble nie ostrzygły!"

Idzie jeż, idzie jeż,
Może ciebie pokłuć też!

Zoczył jeża młody szczygieł:
„Po co panu tyle igieł?"

„Mam ja igły, ostre igły,
Żeby kłuć niegrzeczne szczygły!"

Sroka też ma kłopot świeży:
„Po co pan się tak najeżył?"

„Mam ja igły, ostre igły,
Będę z igieł robił widły!"

Wzięła sroka nogi za pas:
„Tyle wideł! Taki zapas!"

W dziesięć chwil już była na wsi:
„Ludzie moi najłaskawsi,

Otwierajcie drzwi sosnowe,
Dostaniecie widły nowe!"

Żółw

Najgłupszy nawet muł wie,
Jak są powolne żółwie.

Żeby żółwiowi dopiec,
Szydził zeń pewien chłopiec:

– Pan chodzi wprost pokracznie.
Niech się pan wprawiać zacznie!

Doprawdy, jak to można?
Istota czworonożna,

A ledwie się telepie!
Już ślimak chodzi lepiej!

Żółw żachnął się w skorupie:
– Też mi gadanie głupie!

Gdyby ci ktoś dla hecy
Władował dom na plecy,

Czy również w tym wypadku
Chodziłbyś szybko, bratku?

To rzekłszy łypnął okiem
I odszedł żółwim krokiem.

Żuk

Do biedronki przyszedł żuk,
W okieneczko puk-puk-puk.

Panieneczka widzi żuka:
„Czego pan tu u mnie szuka?”

Skoczył żuk jak polny konik,
Z galanterią zdjął melonik

I powiada: „Wstań, biedronko,
Wyjdź, biedronko, przyjdź na słonko.

Wezmę ciebie aż na łączkę
I poproszę o twą rączkę”.

Oburzyła się biedronka:
„Niech pan tutaj się nie błąka,
Niech pan zmiata i nie lata,
I zostawi lepiej mnie,

Bo ja jestem piegowata,
A pan – nie!”

Powiedziała, co wiedziała,
I czym prędzej odleciała,

Poleciała, a wieczorem
Ślub już brała – z muchomorem,

Bo od środka aż po brzegi
Miał wspaniałe, wielkie piegi.

Stąd nauka
Jest dla żuka:
Żuk na żonę żuka szuka.

STONOGA

Mieszkała stonoga pod Białą,
Bo tak się jej podobało.
Raz przychodzi liścik mały
Do stonogi,
Że proszona jest do Białej
Na pierogi.
Ucieszyło to stonogę,
Więc ruszyła szybko w drogę.

Nim zdążyła dojść do Białej,
Nogi jej się poplątały:

Lewa z prawą, przednia z tylną,
Każdej nodze bardzo pilno,
Szósta zdążyć chce za siódmą,
Ale siódmej iść za trudno,
No, bo przed nią stoi ósma,
Która właśnie jakiś guz ma.

Chciała minąć jedenastą,
Poplątała się z piętnastą,
A ta znów z dwudziestą piątą,
Trzydziesta z dziewięćdziesiątą,
A druga z czterdziestą czwartą,
Choć wcale nie było warto.

Stanęła stonoga wśród drogi,
Rozplątać chce sobie nogi,
A w Białej stygną pierogi!

Rozplątała pierwszą, drugą,
Z trzecią trwało bardzo długo,
Zanim doszła do trzydziestej,
Zapomniała o dwudziestej,

Przy czterdziestej już się krząta,
„No, a gdzie jest pięćdziesiąta?"
Sześćdziesiątą nogę beszta:
„Prędzej, prędzej! A gdzie reszta?"

To wszystko tak długo trwało,
Że przez ten czas całą Białą
Przemalowano na zielono,
A do Zielonej stonogi nie proszono.

Mucha

Z kąpieli każdy korzysta,
A mucha chciała być czysta.
W niedzielę kąpała się w smole,
A w poniedziałek w rosole,
We wtorek – w czerwonym winie,
A znowu w środę – w czerninie,
A potem w czwartek – w bigosie,
A w piątek – w tatarskim sosie,
W sobotę – w soku z moreli...
Co miała z takich kąpieli?
Co miała? Zmartwienie miała,
Bo z brudu lepi się cała,
A na myśl jej nie przychodzi,
Żeby wykąpać się w wodzie.

NURKA DO WODY

4:2=2
4+3=
4:2=2
6-2=4
3+2=5
2+2=4

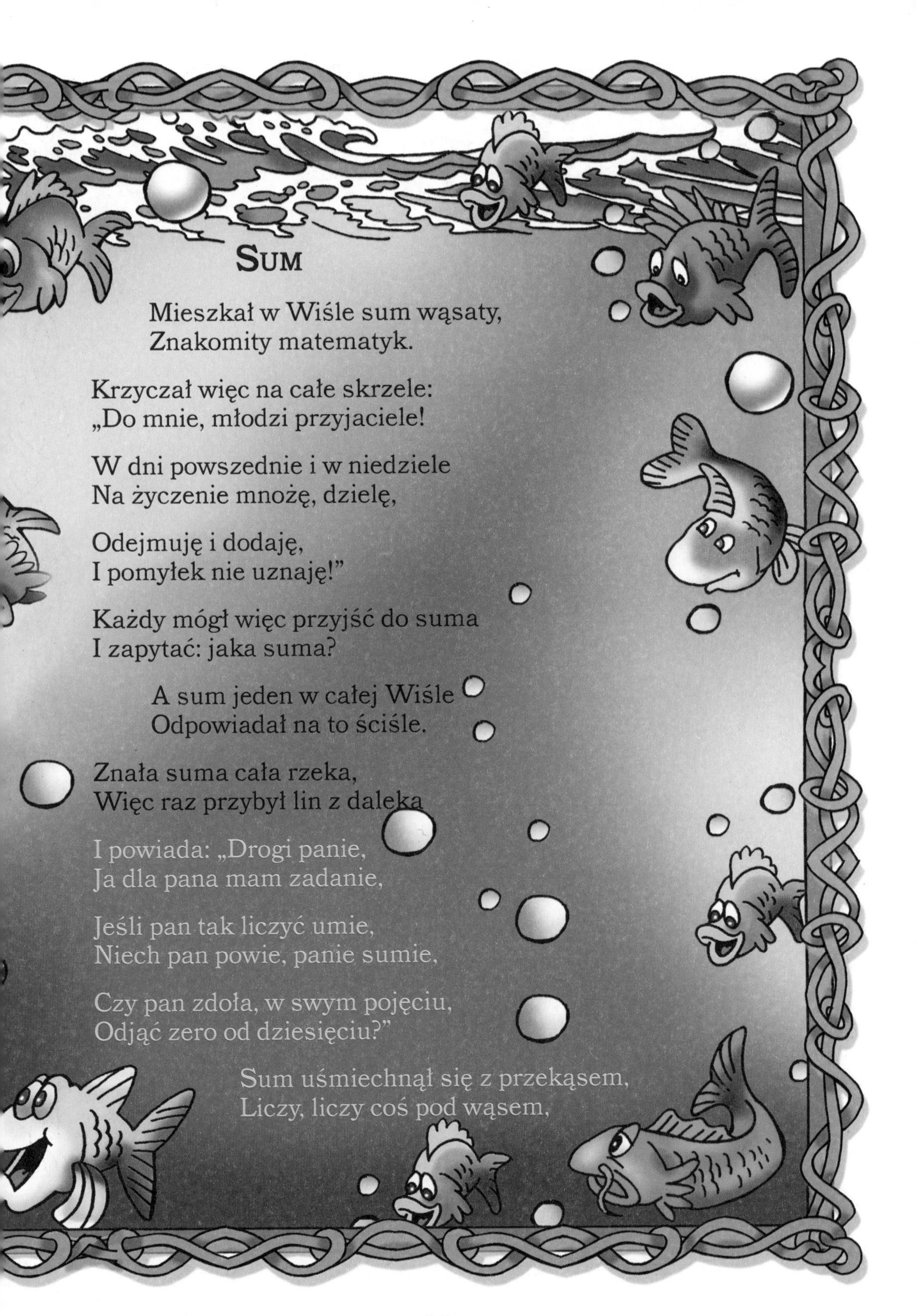

SUM

Mieszkał w Wiśle sum wąsaty,
Znakomity matematyk.

Krzyczał więc na całe skrzele:
„Do mnie, młodzi przyjaciele!

W dni powszednie i w niedziele
Na życzenie mnożę, dzielę,

Odejmuję i dodaję,
I pomyłek nie uznaję!"

Każdy mógł więc przyjść do suma
I zapytać: jaka suma?

A sum jeden w całej Wiśle
Odpowiadał na to ściśle.

Znała suma cała rzeka,
Więc raz przybył lin z daleka

I powiada: „Drogi panie,
Ja dla pana mam zadanie,

Jeśli pan tak liczyć umie,
Niech pan powie, panie sumie,

Czy pan zdoła, w swym pojęciu,
Odjąć zero od dziesięciu?"

Sum uśmiechnął się z przekąsem,
Liczy, liczy coś pod wąsem,

Wąs sumiasty jak u suma,
A sum duma, duma, duma.

„To dopiero mam z tym biedę –
Może dziesięć? Może jeden?"

Upłynęły dwie godziny,
Sum z wysiłku jest już siny.

Myśli, myśli: „To dopiero!
Od dziesięciu odjąć zero?

Żebym miał przynajmniej kredę!
Zaraz, zaraz... Wiem już... Jeden!

Nie! Nie jeden. Dziesięć chyba...
Ach, ten lin! To wstrętna ryba!"

A lin szydzi: „Panie sumie,
W sumie pan niewiele umie!"

Sum ze wstydu schnie i chudnie,
Już mu liczyć coraz trudniej,

A tu minął wieczór cały,
Wszystkie ryby się pospały

I nastało znów południe,
A sum chudnie, chudnie, chudnie...

I nim dni minęło kilka,
Stał się chudy niczym kilka.

Więc opuścił wody słodkie
I za żonę pojął szprotkę...

Ryby

Leszcz za wąsy suma szarpie.
„A to śmiałość!" – rzekły karpie.

„Karpie dobre są, lecz w sosie" –
Odezwały się łososie.

„Głupie żarty"– rzekła flądra.
„Patrzcie, flądra jaka mądra,
Skąd u flądry rozum taki" –
Obruszyły się szczupaki.

„Cóż za dziwne obyczaje,
Że okoniem szczupak staje?" –
Mruknął sandacz. Więc sandacza
Zbeształ okoń: „Pan uwłacza
Mnie i całej mej rodzinie,
Niech pan od nas precz odpłynie!"

Rzekły śledzie: „Ryby rzeczne
Są zazwyczaj niedorzeczne".

„Każda woda im za słodka" –
Przygadała śledziom płotka.

Karaś milczał. Tylko kilka
Jeszcze słów rzuciła kilka,
A sardynki z tej rozmowy
Potraciły całkiem głowy.

ŚLEDŹ I DORSZ

Raz się kiedyś zdarzyło, że w pobliżu Helu
Przepływały dorsze dwa.
Jeden z nich rzekł: „Przyjacielu,
Nasza przyjaźń serdeczna tyle lat już trwa,
Lecz żeby kogo poznać w doli i w niedoli,
Trzeba z nim zjeść beczkę soli".

Usłyszał te słowa śledź,
Więc do śledzia-sąsiada
Powiada:
„Przyjaciela chciałbym mieć,
Chyba panu nie uchybia,
Proszę pana, przyjaźń rybia?"

Drugi śledź samotnie siedział,
Więc skwapliwie odpowiedział:
„Bardzo proszę pana śledzia!"

„A więc pięknie. Pan pozwoli,
Że wpierw zjemy beczkę soli?"

„Owszem. Tu są takie nudy,
Że jeść można sól na pudy."

Tedy zaraz po obiedzie
Popłynęły oba śledzie,

Wynalazły soli beczkę,
Naprzód zjadły z niej troszeczkę,
Potem więcej, coraz więcej.
Po upływie trzech miesięcy
Wypróżniły beczkę do dna,
Na to aby ich przyjaźń była niezawodna.

Tymczasem dorsz zawitał znowu w tamte strony,
Patrzy – a tu płynie śledź.
Dorsz roześmiał się zdziwiony:
„Ależ pan jest nasolony!!!"

„Przyjaciela chciałem mieć,
Co to w doli i w niedoli,
Więc z nim zjadłem beczkę soli..."

Dorsz się zaśmiał jeszcze głośniej:
„Trzeba znać się na przenośni!
Jest mi pana żal prawdziwie,
Niech pan moczy się w oliwie!"

Ośmieszony, nieszczęśliwy,
Śledź popłynął do Oliwy,
Tam się moczył miesiąc chyba,
Aż go złapał jakiś rybak.

Ach! Bo w życiu to najgorsze,
Kiedy śledź się wdaje z dorszem.

Ryby, żaby i ra

Ryby, żaby i raki
Raz wpadły na pomysł taki,
Żeby opuścić staw, siąść pod drzew
I zacząć zarabiać śpiewem.
No, ale cóż, kiedy ryby
Śpiewały tylko na niby,
    Żaby
Na aby-aby,
    A rak
Byle jak.

Karp wydął żałośnie skrzele
„Słuchajcie mnie, przyjaciel
Mam sposób zupełnie prost
Zacznijmy budować mosty!"
No, ale cóż, kiedy ryby
Budowały tylko na niby,

Trochę żywności kupmy!
Jest sposób, ja wam mówię,
Zacznijmy szyć obuwie!"
No, ale cóż, kiedy ryby
Szyły tylko na niby,

Żaby
Na aby-aby,
A rak
Byle jak.

Żaby
Na aby-aby,
A rak
Byle jak.

ak tedy rzecze: „Rodacy,
lusimy się wziąć do pracy,
lam pomysł zupełnie nowy –
acznijmy kuć podkowy!"
lo, ale cóż, kiedy ryby
uły tylko na niby,
Żaby
la aby-aby,
A rak
yle jak.

)dezwie się więc ropucha:
Straszna u nas posucha,
oś róbmy, coś zaróbmy,

Lin wreszcie tak powiada:
„Czeka nas tu zagłada,
Opuściliśmy staw przeciw prawu –
Musimy wrócić do stawu".
I poszły. Lecz na ich szkodę
Ludzie spuścili wodę.
Ryby w płacz, reszta też, lecz czy łzami
Zapełni się staw? Zważcie sami,
Zwłaszcza że przecież ryby
Płakały tylko na niby,
Żaby
Na aby-aby,
A rak
Byle jak.

Kijanki

Wystroiły się kijanki
W sukieneczki z wodnej pianki.

Podziwiały je szczupaki:
„Proszę państwa, kto to taki?

Nie kijanki, lecz panienki,
Takie strojne ich sukienki!”

„Nie bywało takich jeszcze” –
Zachwycone rzekły leszcze.

„Moda piękna i na czasie” –
Odezwały się karasie.

Tak pochlebne słysząc wzmianki
Napuszyły się kijanki.

Rzekła jedna: „Szczupak zna się,
Również znają się karasie,

A na przykład głupie żaby
Za nic mają te powaby”.

Druga rzekła: „Moja miła,
Ja bym zaraz się zabiła,

Gdybym była taką żabą”.
„Nie mów! Robi mi się słabo.

Gdy pomyślę o tym tylko,
Już wolałabym być kilką,

Szprotką, flądrą w galarecie,
Ale żabą? Za nic w świecie."

Tak ze sobą rozmawiały,
A tu dzień upłynął cały.

Chciały zacząć od początku,
Lecz coś było nie w porządku,

Bo spostrzegły nagle nocą,
Że nie mówią, lecz rechocą.

I ujrzały w brzasku ranka,
Że kijanka – nie kijanka,

Tylko żaba, co rada by
Iść czym prędzej między żaby.

Otóż macie prawdę mądrą:
Flądra zawsze będzie flądrą,

Szprotka szprotką, kilka kilką,
A kijanka – żabą tylko.

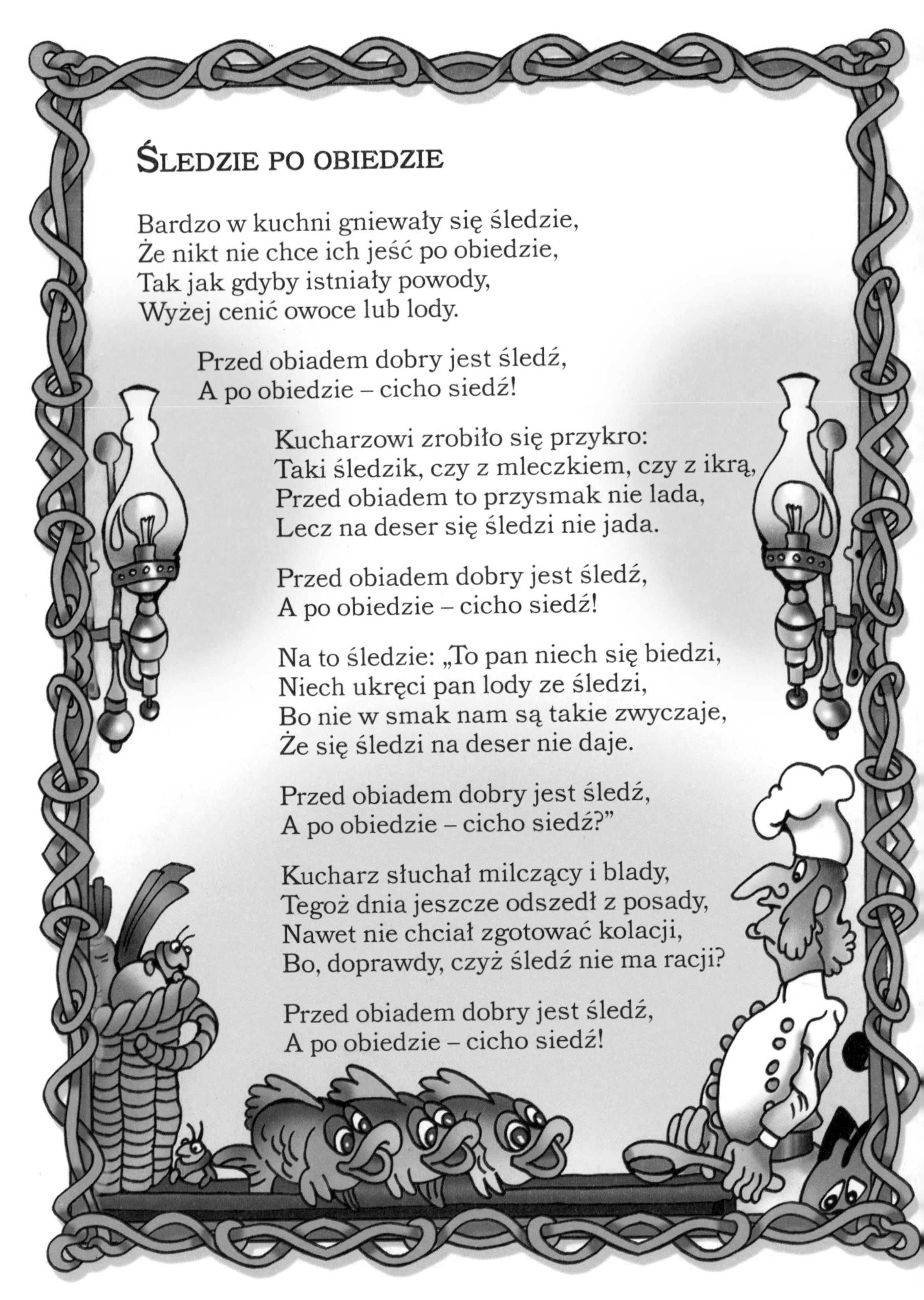

ŚLEDZIE PO OBIEDZIE

Bardzo w kuchni gniewały się śledzie,
Że nikt nie chce ich jeść po obiedzie,
Tak jak gdyby istniały powody,
Wyżej cenić owoce lub lody.

Przed obiadem dobry jest śledź,
A po obiedzie – cicho siedź!

Kucharzowi zrobiło się przykro:
Taki śledzik, czy z mleczkiem, czy z ikrą,
Przed obiadem to przysmak nie lada,
Lecz na deser się śledzi nie jada.

Przed obiadem dobry jest śledź,
A po obiedzie – cicho siedź!

Na to śledzie: „To pan niech się biedzi,
Niech ukręci pan lody ze śledzi,
Bo nie w smak nam są takie zwyczaje,
Że się śledzi na deser nie daje.

Przed obiadem dobry jest śledź,
A po obiedzie – cicho siedź?"

Kucharz słuchał milczący i blady,
Tegoż dnia jeszcze odszedł z posady,
Nawet nie chciał zgotować kolacji,
Bo, doprawdy, czyż śledź nie ma racji?

Przed obiadem dobry jest śledź,
A po obiedzie – cicho siedź!

Żaba

Pewna żaba
Była słaba,
Więc przychodzi do doktora
I powiada, że jest chora.

Doktor włożył okulary,
Bo już był cokolwiek stary,
Potem ją dokładnie zbadał,
No, i wreszcie tak powiada:

„Pani zanadto się poci,
Niech pani unika wilgoci,
Niech pani się czasem nie kąpie,
Niech pani nie siada przy pompie,
Niech pani deszczu unika,

Niech pani nie pływa w strumykach,
Niech pani wody nie pija,
Niech pani kałuże omija,
Niech pani nie myje się z rana,
Niech pani, pani kochana,
Na siebie chucha i dmucha,
Bo pani musi być sucha!”

Wraca żaba od doktora,
Myśli sobie: „Jestem chora,
A doktora chora słucha,
Mam być sucha – będę sucha!”

Leczyła się żaba, leczyła,
Suszyła się długo, suszyła,
Aż wyschła tak, że po troszku
Została z niej garstka proszku.

A doktor drapie się w ucho:
„Nie uszło jej to na sucho!”

Rak

Na półmisku leży rak,
A półmisek mówi tak:

„Cóż to właściwie znaczy,
Panie raku?
Pan wcale mówić nie raczy,
Panie raku,
Pan jest cały czerwony jak rak,
Panie raku,
Jakżeż można zaperzać się tak,
Panie raku?
Pan jest okropnie zagniewany,
Panie raku,
Pan jest w gorącej wodzie kąpany,
Panie raku!”

Foka

Mole foce zjadły futro.
„W czym na spacer wyjdę jutro?"

Poszła foka do oposa:
„Jestem naga, jestem bosa,

Co ja teraz, biedna, pocznę?
Daj choć futro zeszłoroczne".

Opos tylko drzwi zatrzasnął:
„Każdy nosi odzież własną!"

Poszła foka między bobry:
„Może będzie kto tak dobry

I ponosić futro da mi?
Futro przecież się nie splami".

Bobry rzekły na to: „Foko,
Bieda u nas jest w tym roku,

Może jednak ci niedźwiedzie
Dopomogą w twojej biedzie".

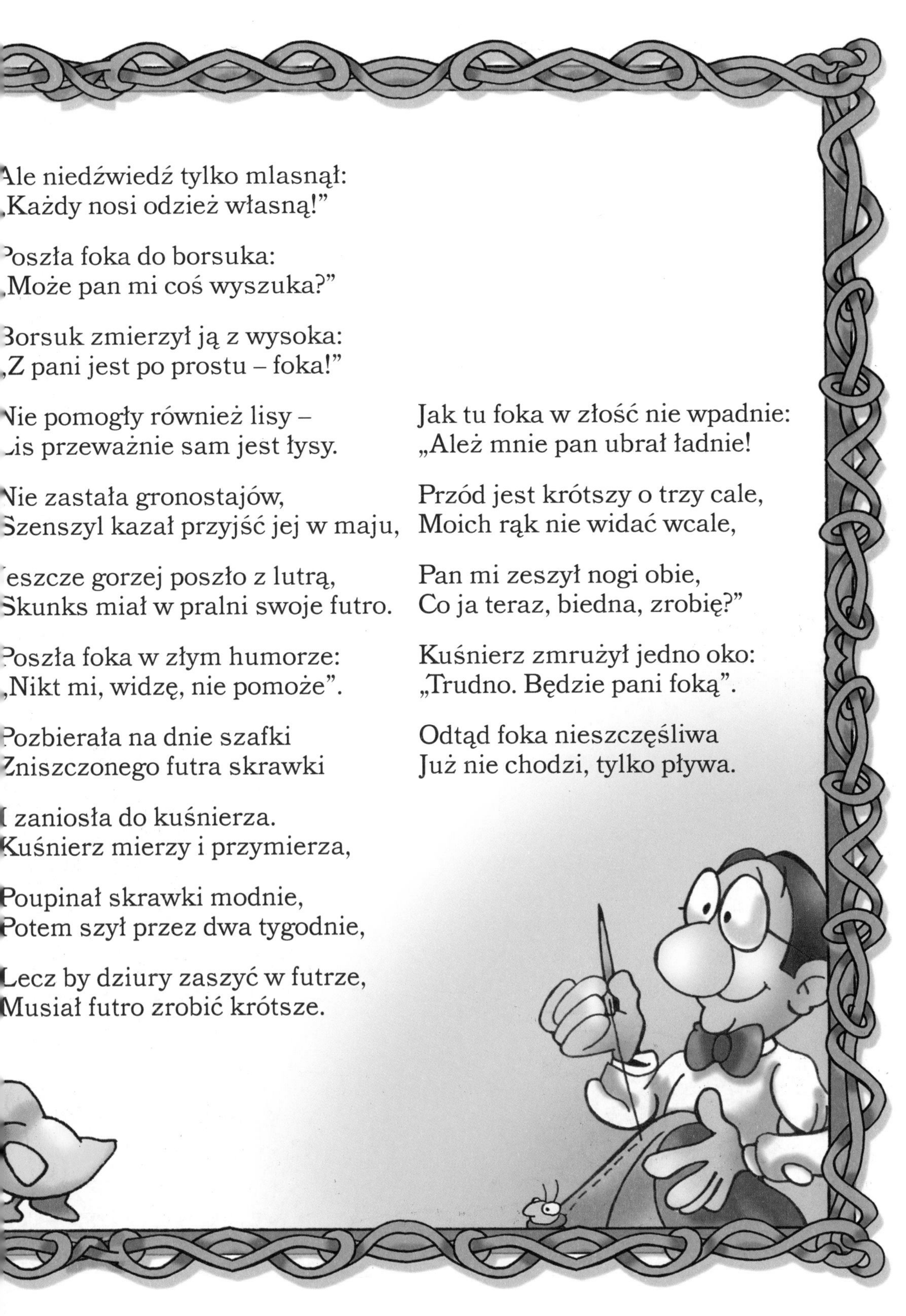

Ale niedźwiedź tylko mlasnął:
„Każdy nosi odzież własną!”

Poszła foka do borsuka:
„Może pan mi coś wyszuka?”

Borsuk zmierzył ją z wysoka:
„Z pani jest po prostu – foka!”

Nie pomogły również lisy –
Lis przeważnie sam jest łysy.

Nie zastała gronostajów,
Szenszyl kazał przyjść jej w maju,

Jeszcze gorzej poszło z lutrą,
Skunks miał w pralni swoje futro.

Poszła foka w złym humorze:
„Nikt mi, widzę, nie pomoże”.

Pozbierała na dnie szafki
Zniszczonego futra skrawki

I zaniosła do kuśnierza.
Kuśnierz mierzy i przymierza,

Poupinał skrawki modnie,
Potem szył przez dwa tygodnie,

Lecz by dziury zaszyć w futrze,
Musiał futro zrobić krótsze.

Jak tu foka w złość nie wpadnie:
„Ależ mnie pan ubrał ładnie!

Przód jest krótszy o trzy cale,
Moich rąk nie widać wcale,

Pan mi zeszył nogi obie,
Co ja teraz, biedna, zrobię?”

Kuśnierz zmrużył jedno oko:
„Trudno. Będzie pani foką”.

Odtąd foka nieszczęśliwa
Już nie chodzi, tylko pływa.

ŻÓŁWIE I KROKODYLE

Żółwie i krokodyle
Mieszkają wspólnie nad Nilem,
Ale przy tym, najwyraźniej,
Są ze sobą w nieprzyjaźni,
Bo krokodyl nie myśląc żyje znakomicie,
A każdy żółw – to myśliciel.

Myślały tedy żółwie lat co najmniej dwieście,
No i wymyśliły wreszcie
Najmądrzejsze z żółwich dzieł:
Nową pisownię
Polegającą dosłownie
Na tym, że gdzie nie trzeba, tam pisze się „eł".
Odtąd każdy mądry żółw
Zamiast „rów" napisze „rółw",
„Zdrowa" u nich będzie – „zdrołwa",
„Krowa" u nich będzie – „ krołwa".

„Cena" żółw napisze –„cełna",
Tak jak my piszemy – „wełna",
Do swych dzieci mówią żółwie:
„Ja ci mółwię, włóż obułwie!"

Zmian tych zaszło nie wiem ile,
Lecz gdy przyszły krokodyle
I ujrzały żółwie „eł-y"
Przekręconych różnych słów,
Najzwyczajniej „eł" połknęły
I nie piszą „żółw", lecz „żów".

LATA PTASZEK

Sowa

Na południe od Rogowa
Mieszka w leśnej dziupli sowa,
Która całą noc, do rana,
Tkwi nad książką, zaczytana.
Nie podoba się to sroce:
„Pani czyta całe noce,
Zamiast się pokrzepić drzemką,
Pani czyta wciąż po ciemku.
Czyta się, gdy światło świeci,
To zły przykład jest dla dzieci!"

Ale sowa, mądry ptak,
Odpowiada na to tak:
„U-hu, u-hu, u-hu,
Nie brzęcz mi przy uchu,
Jestem sowa płowa,
Sowa mądra głowa,
Badam dzieje pól i łąk,
Jeszcze mam czterdzieści ksiąg".

Dzięcioł, znany weterynarz,
Rzekł: „Ty sobie źle poczynasz,
To niezdrowo, daję słowo,
To niezdrowo, moja sowo,
Dawno przecież zapadł zmrok,
Strasznie sobie psujesz wzrok,
Jak oślepniesz – będzie bieda,
Nikt ci nowych oczu nie da,
Nie pomoże i poradnia,
Czytać chcesz,
[to czytaj za dnia!"

Ale sowa, mądry ptak,
Odpowiada na to tak:
„U-hu, u-hu, u-hu,
Zmiataj, łapiduchu,

Jestem sowa płowa,
Sowa mądra głowa,
Trudno, niech się ściemnia w krąg,
Jeszcze mam czterdzieści ksiąg".

Na południe od Rogowa
Mieszka w leśnej dziupli sowa.
Wzrok straciła całkowicie,
Zmarnowała sobie życie;
Kiedy sroka leci w pole,
Pyta: „Czy to ty, dzięciole?"
Kiedy dzięcioł mknie wysoko,
Woła: „Dokąd lecisz, sroko?"
Przeczytała ksiąg czterdzieści,
Dowiedziała się z ich treści,
Że kto czyta, gdy jest mrok,
Może łatwo stracić wzrok.

TU DLA MODY
I OZDOBY
WYMIENIAMY
PTASIE DZIOBY

Ptasi mózg

Dnia pewnego leśne ptaki
Przeczytały napis taki:
„Tu dla mody i ozdoby
Wymieniamy ptasie dzioby!
Szlifujemy, poprawiamy
I zapłaty nie żądamy”.

Widzą ptaki: dziupla w drzewie,
Kto w tej dziupli jest – nikt nie wie.

Powiedziały mądre sowy:
– Nowy dziób to kłopot nowy,
Poczekajmy z tym do zimy,
A na wiosnę – zobaczymy.

Słowik nie chciał zmienić dzioba:
– Mnie się właśnie mój podoba.

Szpak powiedział: – Po co zmiany?
Dziób mam pięknie szlifowany.

Rzekła pliszka: – Może są tu
Jakieś dzioby do remontu,
Do poprawek, do przeróbek,
Lecz nie mój wytworny dzióbek.

Gwizdnął kos: – Znam chwyt najprostszy,
Dobrze wiem, jak dziób się ostrzy.

Gil-żółtodziób ćwierknął: – Oby
Wszyscy mieli takie dzioby!

Dzięcioł milcząc w korę pukał,
Bo go raz już ktoś oszukał,
Pukał w korę i sikorę
Ostrzegł jeszcze w samą porę.

Z dziupli wylazł lisek rudy,
Zaklął: – Na nic wszystkie trudy!
Ptakom już nie udowodnię,
Że się trzeba nosić modnie.
Ptak ma ptasi mózg! Z tej racji
Znów zostałem bez kolacji.

KOKOSZKA-SMAKOSZKA

Szła z targu kokoszka-smakoszka,
Spotkała ją pewna kumoszka.
„Co widzę? Wątróbka, ozorek?
Ja do ust tych rzeczy nie biorę!”

Kura na to: „Kud-ku-dak,
A ja – owszem! A ja – tak!”

„No co też paniusia powiada!
A taka, na przykład, rolada?

Toż nie ma w niej nic oprócz sadła,
Już ja bym rolady nie jadła!"

Kura na to: „Kud-ku-dak,
A ja – owszem! A ja – tak!"

„Lub weźmy, powiedzmy, makaron
Czy gulasz, czy rybę na szaro,
Czy jakieś tam flaki z olejem...
O, nie! Takich potraw ja nie jem!"

Kura na to: „Kud-ku-dak,
A ja – owszem! A ja – tak!"

„Są ludzie, paniusiu kochana,
Co jajka już jedzą od rana.
Nie dla mnie są takie rozkosze,
Bo jajek po prostu nie znoszę!"

Kura na to: „Kud-ku-dak,
A ja – owszem! A ja – tak!"

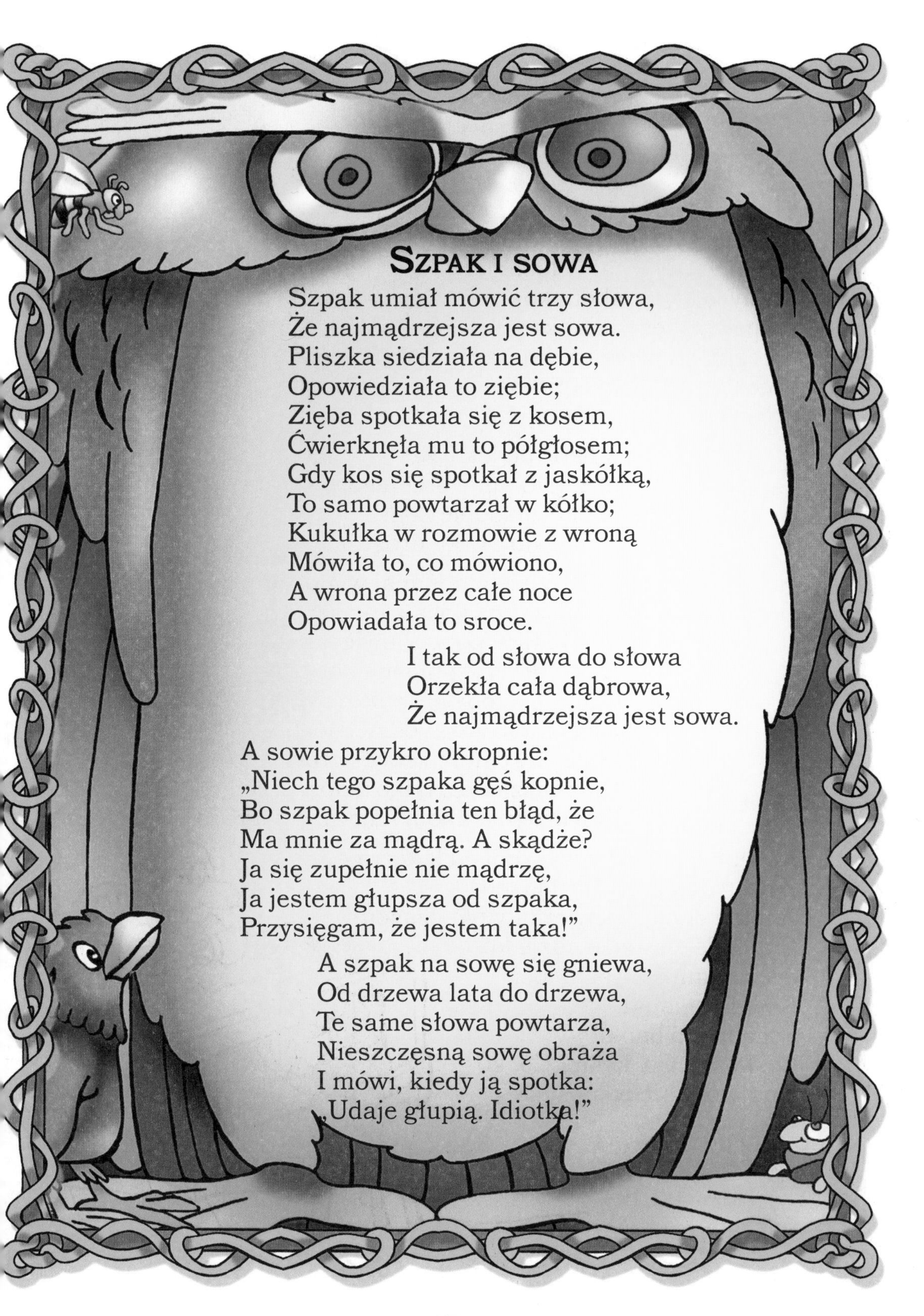

Szpak i sowa

Szpak umiał mówić trzy słowa,
Że najmądrzejsza jest sowa.
Pliszka siedziała na dębie,
Opowiedziała to ziębie;
Zięba spotkała się z kosem,
Ćwierknęła mu to półgłosem;
Gdy kos się spotkał z jaskółką,
To samo powtarzał w kółko;
Kukułka w rozmowie z wroną
Mówiła to, co mówiono,
A wrona przez całe noce
Opowiadała to sroce.

I tak od słowa do słowa
Orzekła cała dąbrowa,
Że najmądrzejsza jest sowa.

A sowie przykro okropnie:
„Niech tego szpaka gęś kopnie,
Bo szpak popełnia ten błąd, że
Ma mnie za mądrą. A skądże?
Ja się zupełnie nie mądrzę,
Ja jestem głupsza od szpaka,
Przysięgam, że jestem taka!"

A szpak na sowę się gniewa,
Od drzewa lata do drzewa,
Te same słowa powtarza,
Nieszczęsną sowę obraża
I mówi, kiedy ją spotka:
„Udaje głupią. Idiotka!"

Kos

Kos wszedł na rzece na mostek,
Przemoczył nogi do kostek.
Jęknął więc na cały głos:
„Rany koskie, jakem kos,
Na pewno będę miał katar!
Niechby mi plecy ktoś natarł,
Niechby dał ktoś aspirynę,
Bo na pewno marnie zginę!"

Poleciał kos do lekarza:
„Doktorku, to mnie przeraża,
Przemoczyłem sobie nogi,
Ratuj mnie, doktorku drogi!"

Lekarz się roześmiał w głos
I spojrzał na kosa z ukosa:
„Do kataru potrzebny jest nos,
A kos przecież nie ma nosa.
Chętnie z tobą się założę:
Dziecku to zaszkodzić może,
Lecz ty, kosie, co chcesz rób,
Nie masz nosa, tylko dziób.
Mój drogi, ptakom katar nie zagraża".

Kos jak niepyszny wyszedł od lekarza,
Zawstydzony kroczył lasem,
A ptaki dookoła ćwierkały tymczasem:
„Patrzcie, patrzcie, idzie kos,
Ależ mamy z kosem los,
Kosi-kosi łapki,
Pogadaj do babki!
Co, kosie? Co, kosie? Co, kosie?
Dostało ci się po nosie!"

WRONA I SER

„Niech mi każdy powie szczerze,
Skąd się wzięły dziury w serze?”

Indyk odrzekł: „Ja właściwie
Sam się temu bardzo dziwię”.

Kogut zapiał z galanterią:
„Kto by też brał ser na serio?”

Owca stała zadumana:
„Pójdę, spytam się barana”.

Koń odezwał się najprościej:
„Moja rzecz to dziury w moście!”

Pies obwąchał ser dokładnie:
„Czuję kota: on tu kradnie!”

Kot udając, że nie słyszy,
Miauknął: „Dziury robią myszy”.

Przyleciała wreszcie wrona:
„Sprawa będzie wyjaśniona,

Próbę dziur natychmiast zrobię,
Bo mam świetne czucie w dziobie".

Bada dziury jak należy,
Każdą dziurę w serze mierzy,

Każdą zgłębia i przebiera –
A gdzie ser jest? Nie ma sera!

Indyk zsiniał, owca zbladła:
„Gwałtu! Wrona ser nam zjadła!"

Na to wrona na nich z góry:
„Wam chodziło wszak o dziury.

Wprawdzie ser zużyłam cały,
Ale dziury pozostały!

Bo gdy badam, nic nie gadam
I co trzeba zjeść, to zjadam.

Trudno. Nikt dziś nie docenia
Prawdziwego poświęcenia!"

Po czym wrona, jak to ona,
Poszła sobie obrażona.

KACZKA-DZIWACZKA

Nad rzeczką opodal krzaczka
Mieszkała kaczka-dziwaczka,
Lecz zamiast trzymać się rzeczki
Robiła piesze wycieczki.

Raz poszła więc do fryzjera:
„Poproszę o kilo sera!"

Tuż obok była apteka:
„Poproszę mleka pięć deka".

Z apteki poszła do praczki
Kupować pocztowe znaczki.

Gryzły się kaczki okropnie:
„A niech tę kaczkę gęś kopnie!"

Znosiła jaja na twardo
I miała czubek z kokardą,
A przy tym, na przekór kaczkom,
Czesała się wykałaczką.

Kupiła raz maczku paczkę,
By pisać list drobnym maczkiem.
Zjadając tasiemkę starą
Mówiła, że to makaron,
A gdy połknęła dwa złote,
Mówiła, że odda potem.

Martwiły się inne kaczki:
„Co będzie z takiej dziwaczki?"

Aż wreszcie znalazł się kupiec:
„Na obiad można ją upiec!"

Pan kucharz kaczkę starannie
Piekł, jak należy, w brytfannie,

Lecz zdębiał obiad podając,
Bo z kaczki zrobił się zając,
W dodatku cały w buraczkach.

Taka to była dziwaczka!

SROKA

Siedzi sroka na żerdzi
I twierdzi,

Że cukier jest słony,
Że mrówka jest większa od wrony,
Że woda w morzu jest sucha,
Że wół jest lżejszy niż mucha,
Że mleko jest czerwone,
Że żmija gryzie ogonem,
Że raki rosną na dębie,
Że kowal ogień ma w gębie,
Że najlepiej fruwają krowy,
Że najładniej śpiewają sowy.
Że bocian ma dziób zamiast głowy,
Że lód jest gorący,
Że ryby się pasą na łące,
Że trawa jest blaszana,
Że noc zaczyna się z rana,

Ale nikt tego wszystkiego nie słucha,
Bo wiadomo, że sroka jest kłamczucha.

ŻURAW I CZAPLA

Przykro było żurawiowi,
Że samotnie ryby łowi.

Patrzy – czapla na wysepce
Wdzięcznie z błota wodę chłepce.

Rzecze do niej zachwycony:
„Piękna czaplo, szukam żony,

Będę kochał ciebie, wierz mi,
Więc czym prędzej się pobierzmy”

Czapla piórka swe poprawia:
„Nie chcę męża mieć żurawia!”

Poszedł żuraw obrażony.
„Trudno. Będę żył bez żony”.

A już czapla myśli sobie:
„Czy właściwie dobrze robię?

Skoro żuraw tak namawia,
Chyba wyjdę za żurawia!”

Pomyślała, poczłapała,
Do żurawia zapukała.

Żuraw łykał żurawinę,
Więc miał bardzo kwaśną minę.

„Przyszłam spełnić twe życzenie.”
„Teraz ja się nie ożenię,

Niepotrzebnie pani papla,
Żegnam panią, pani czapla!”

Poszła czapla obrażona.
Żuraw myśli: „Co za żona!

Chyba pójdę i przeproszę...”
Włożył czapkę, wdział kalosze

I do czapli znowu puka.
„Czego pan tu u mnie szuka?”

„Chcę się żenić.” „Pan na męża?
Po co pan się nadweręża?

Szkoda było pańskiej drogi,
Drogi panie laskonogi!”

Poszedł żuraw obrażony:
„Trudno. Będę żył bez żony”.

A już czapla myśli: „Szkoda,
Wszak nie jestem taka młoda,

Żuraw prośby wciąż ponawia,
Chyba wyjdę za żurawia!”

W piękne piórka się przybrała,
Do żurawia poczłapała.

Tak już chodzą lata długie,
Jedno chce – to nie chce drugie.

Chodzą wciąż tą samą drogą,
Ale pobrać się nie mogą.

Mysikrólik

Ćwierkał w polu Mysikrólik,
Wtem się zjawia mysi królik:
„Jam jest królik z mysiej łaski,
A pan tu urządza wrzaski,
Pan tu ćwierka wciąż, a zwłaszcza
Sobie tytuł mój przywłaszcza,
To nie mysie widzimisię,
Lecz królewskie prawo mysie,
Gdy się mysie wojsko zbierze,
Spierze panu pańskie pierze!"

Zląkł się ptaszek niesłychanie:
„Najjaśniejszy mysipanie,
Jam jest ptaszek – Mysikrólik,
Chcesz mi za to sprawić bólik?
Mysibólik musi boleć,
Czyżbyś na to mógł pozwolić?

Czyżbym próżno wzywał dzisiaj,
Mysipanie, łaski mysiej?
Choć to sprawa bardzo ważka,
Jednak litość miej dla ptaszka".

Zmiękło serce mysiej mości,
Tak więc rzecze już bez złości:
„Proszę złożyć mi na piśmie,
Że pan więcej już nie piśnie
I że odtąd żadna z myszy
Ćwierkań pańskich nie usłyszy!"

Ptaszek wnet żądanie mysie
Spełnił grzecznie, lecz w podpisie
Zmienił – stracha widać mając –
Imię swe na – Mysizając.

Ptasie plotki

Usiadła zięba na dębie:
„Na pewno dziś się przeziębię!

Dostanę chrypki, być może,
Głos jeszcze stracę, broń Boże,

A koncert mam zamówiony
W najbliższą środę u wrony".

Jęknęły smutnie żołędzie:
„Co będzie, ziębo, co będzie?

Leć do dzięcioła, do buka,
Niech dzięcioł ciebie opuka!"

Podniosła lament sikora:
„Podobno zięba jest chora!"

Gil z tym poleciał do szpaka.
„Jest sprawa taka a taka:

Mówiła właśnie sikora,
Że zięba jest ciężko chora."

Poleciał szpak do słowika:
„Ze słów sikory wynika,

Że zięba już od miesiąca
Po prostu jest konająca".

Słowik wróblowi polecił,
By trumnę dla zięby sklecił.

Rzekł wróbel do drozda: „Droździe,
Do trumny przynieś mi gwoździe".

Stąd dowiedziała się wrona,
Że zięba na pewno kona.

A zięba nic nie wiedziała,
Na dębie sobie siedziała,

Aż jej doniosły żołędzie,
Że koncert się nie odbędzie,

Gdyż zięba właśnie umarła
Na ciężką chorobę gardła.

KACZKI

Po podwórku chodzą kaczki,
Wszystkie bose nieboraczki,
A w dodatku nieodziane,
To są rzeczy niesłychane!

Choć serdaczek, choć kubraczek
Mógłby znaleźć się dla kaczek,
A na nogi – jakieś kapce,
A na głowy choć po czapce,

Bo to zima akurat,
Chwycił mróz i śnieg już spadł.

Poszły kaczki do krawcowej:
„Chcemy mieć kubraczki nowe,
Zimno wszystkim nam szalenie,
Pani przyjmie zamówienie.

Lecz uwzględnić pani raczy,
Że to ma być fason kaczy.
Tu zakładka, a tu szlaczek,
To jest coś w sam raz dla kaczek,

Krój warszawski, bądź co bądź,
Zechce pani miarę zdjąć”.

Potem kaczki na Królewskiej
Odszukały zakład szewski

już pierwsza kaczka kwacze:
Pan nam zrobi kapce kacze,

'akie małe, zgrabne kapce,
3y na małej kaczej łapce
Iależycie się trzymały
na sprzączki zapinały".

)drzekł szewc, bo nie był leń:
Zrobię kapce w jeden dzień".

uż nazajutrz poszły kaczki
)o krawcowej po kubraczki
po kapce na Królewską,
Ale wpadły w pasję szewską:

Szewc zażądał pięć tysięcy,
A krawcowa jeszcze więcej.
Bez pieniędzy, drogie panie,
)zisiaj nic się nie dostanie.

Zapytajcie zresztą dam,
)ne to powiedzą wam."

Kaczki kwaczą i tłumaczą:
Pieniądz nie jest rzeczą kaczą,

Żadna z nas się nie bogaci,
Nam za jajka nikt nie płaci".

Ale na to szewc z krawcową
Powtórzyli słowo w słowo
To co przedtem: „Drogie panie,
Darmo nic się nie dostanie".

Z tej przyczyny kaczy ród
Jest ubrany tak jak wprzód,
A tu zima akurat,
Chwycił mróz i śnieg już spadł.

Kwoka

Proszę pana, pewna kwoka
Traktowała świat z wysoka
I mówiła z przekonaniem:
„Grunt to dobre wychowanie!"
Zaprosiła raz więc gości,
By nauczyć ich grzeczności.
Pierwszy osioł wszedł, lecz przy tym
W progu garnek stłukł kopytem.
Kwoka wielki krzyk podniosła:
„Widział kto takiego osła?!"
Przyszła krowa. Tuż za progiem
Zbiła szybę lewym rogiem.
Kwoka gniewna i surowa
Zawołała: „A to krowa!"
Przyszła świnia prosto z błota.
Kwoka złości się i miota:
„Co też pani tu wyczynia?
Tak nabłocić! A to świnia!"
Przyszedł baran. Chciał na grzędzie
Siąść cichutko w drugim rzędzie,
Grzęda pękła. Kwoka wściekła
Coś o łbie baranim rzekła
I dodała: „Próżne słowa,
Takich nikt już nie wychowa,
Trudno... Wszyscy się [wynoście!"
No i poszli sobie goście.
Czy ta kwoka, proszę pana,
Była dobrze wychowana?

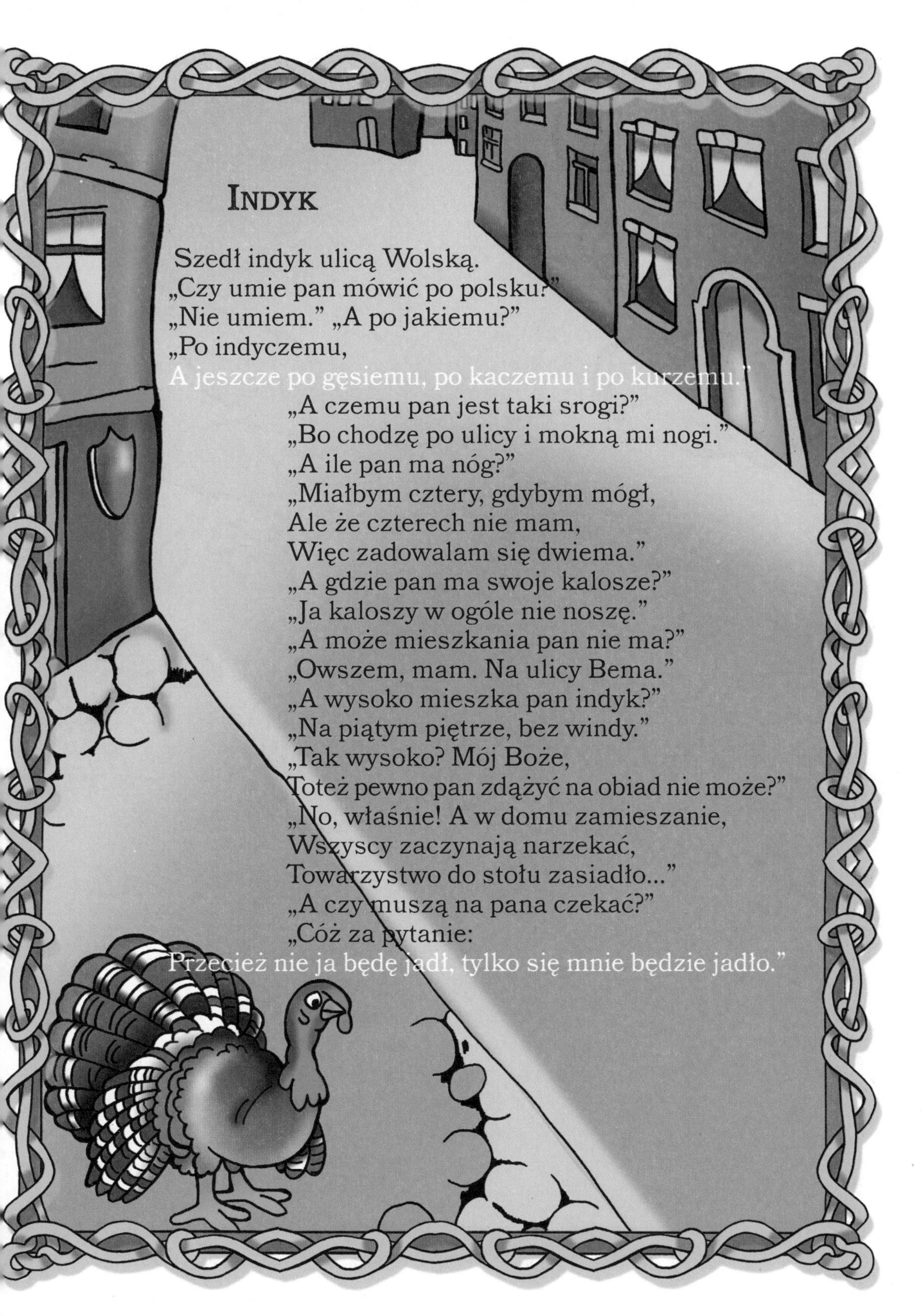

Indyk

Szedł indyk ulicą Wolską.
„Czy umie pan mówić po polsku?"
„Nie umiem." „A po jakiemu?"
„Po indyczemu,
A jeszcze po gęsiemu, po kaczemu i po kurzemu."
„A czemu pan jest taki srogi?"
„Bo chodzę po ulicy i mokną mi nogi."
„A ile pan ma nóg?"
„Miałbym cztery, gdybym mógł,
Ale że czterech nie mam,
Więc zadowalam się dwiema."
„A gdzie pan ma swoje kalosze?"
„Ja kaloszy w ogóle nie noszę."
„A może mieszkania pan nie ma?"
„Owszem, mam. Na ulicy Bema."
„A wysoko mieszka pan indyk?"
„Na piątym piętrze, bez windy."
„Tak wysoko? Mój Boże,
Toteż pewno pan zdążyć na obiad nie może?"
„No, właśnie! A w domu zamieszanie,
Wszyscy zaczynają narzekać,
Towarzystwo do stołu zasiadło..."
„A czy muszą na pana czekać?"
„Cóż za pytanie:
Przecież nie ja będę jadł, tylko się mnie będzie jadło."

Sójka

Wybiera się sójka za morze,
Ale wybrać się nie może.

„Trudno jest się rozstać z krajem,
A ja właśnie się rozstaję."

Poleciała więc na kresy
Pozałatwiać interesy.
Odwiedziła potem Szczecin,
Bo tam miała dwoje dzieci,
W Kielcach była dwa tygodnie,
Żeby wyspać się wygodnie,

Jedną noc spędziła w Gdyni
U znajomej gospodyni,
Wpadła także do Pułtuska,
Żeby w Narwi się popluskać,
A z Pułtuska do Torunia,
Gdzie mieszkała jej ciotunia.
Po ciotuni jeszcze sójka
Odwiedziła w Gnieźnie wujka,
Potem matkę, ojca, syna
I kuzyna z Krotoszyna.
Pożegnała się z rodziną,
A tymczasem rok upłynął.

Znów wybiera się za morze,
Ale wybrać się nie może.

Myśli sobie: „Nie zaszkodzi
Po zakupy wpaść do Łodzi".
Kupowała w Łodzi jaja,
Targowała się do maja,
Poleciała do Pabianic,
Dała dziesięć groszy za nic,
A że już nie miała więcej,
Więc siedziała pięć miesięcy.

„Teraz – rzekła – czas za morze!"
Ale wybrać się nie może.

Posiedziała w Częstochowie,
W Jędrzejowie i w Miechowie,
Odwiedziła Katowice,
Cieszyn, Trzyniec, Wadowice,
Potem jeszcze z lotu ptaka
Obejrzała miasto Kraka:

Wawel, Kopiec, Sukiennice,
Piękne place i ulice.
„Jeszcze wpadnę do Rogowa,
Wtedy będę już gotowa."
Przesiedziała tam do września,
Bo ją prosił o to chrześniak.
Odwiedziła w Gdańsku stryja,
A tu trzeci rok już mija.

Znów wybiera się za morze,
Ale wybrać się nie może.

„Trzeba lecieć do Warszawy,
Pozałatwiać wszystkie sprawy,
Paszport, wizy i dewizy,
Kupić kufry i walizy."
Poleciała, lecz pod Grójcem
Znów się żal zrobiło sójce.
„Nic nie stracę, gdy w Warszawie
Dłużej dzień czy dwa zabawię."
Zabawiła tydzień cały,
Miesiąc, kwartał, trzy kwartały,
Gdy już rok przebyła w mieście,
Pomyślała sobie wreszcie:
„Kto chce zwiedzać obce kraje,
Niechaj zwiedza. Ja – zostaję".

GORZKIE PRAWDY

Muł

Był sobie pewien muł.
Najlepiej muł się czuł,
Gdy stojąc przed wieczorem
Nad stawem lub jeziorem
Oglądał swe odbicie
I wołał: „Czy widzicie?
Wprost oczom swym nie wierzę,
Żem takie piękne zwierzę!
Ten łeb, jak kocham mamę!
A uszy? Uszy same,
Powiedzcie, co są warte!
Nie! Nie chcę być lampartem,
Niedźwiedziem ani lwem,
Bo teraz wreszcie wiem,
Że każde mądre zwierzę
Na króla mnie wybierze!"

Muł odtąd należycie
Oglądał swe odbicie.
Z odbicia taki czar bił,
Że muł się nad nim garbił
I garbił, i pochylał,
I pysznił się co chwila:
„Dopiero tu poczułem,
Jak dobrze jest być mułem!"

Krakały wokół wrony:
„Popatrzcie, muł zgarbiony!"
Gil ćwierknął: „Powiem coś ci:
Trzeba się trzymać prościej!"

Koń doń przemówił czule:
„Po co się garbisz, mule?

Szacunku nie zaskarbi
Ten, kto się stale garbi".

Muł wierzgnął opryskliwie:
„Ogromnie wam się dziwię,
To bardzo brzydki nałóg
Udzielać innym nauk,
Sam jestem dosyć kuty!"

I garbił się dopóty,
Aż w końcu już wyglądał
Jak młodszy brat wielbłąda.

A wielbłąd, chyba wiecie,
Ma duży garb na grzbiecie,
Wielbłąda żadne zwierzę
Na króla nie wybierze.

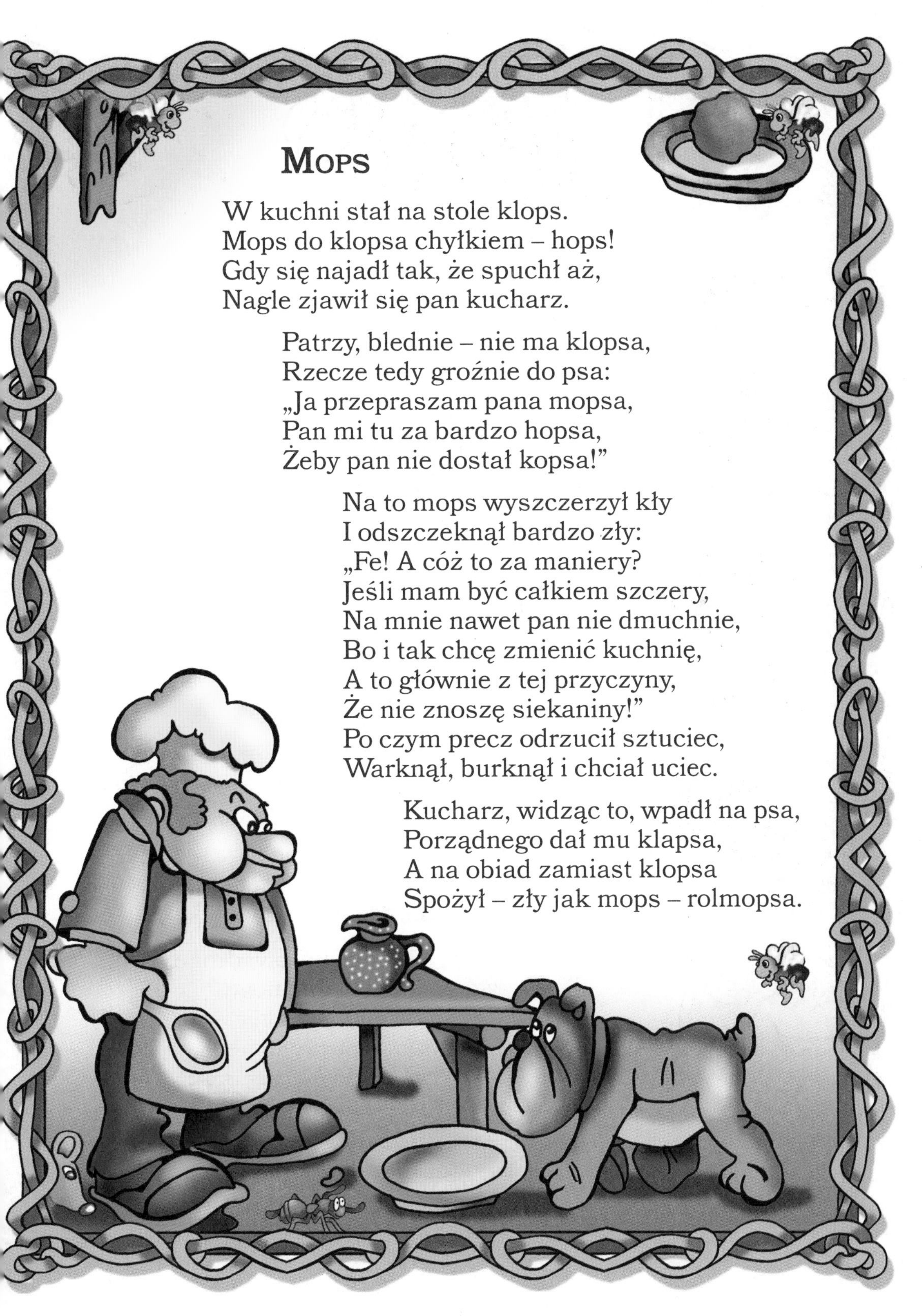

Mops

W kuchni stał na stole klops.
Mops do klopsa chyłkiem – hops!
Gdy się najadł tak, że spuchł aż,
Nagle zjawił się pan kucharz.

Patrzy, blednie – nie ma klopsa,
Rzecze tedy groźnie do psa:
„Ja przepraszam pana mopsa,
Pan mi tu za bardzo hopsa,
Żeby pan nie dostał kopsa!"

Na to mops wyszczerzył kły
I odszczeknął bardzo zły:
„Fe! A cóż to za maniery?
Jeśli mam być całkiem szczery,
Na mnie nawet pan nie dmuchnie,
Bo i tak chcę zmienić kuchnię,
A to głównie z tej przyczyny,
Że nie znoszę siekaniny!"
Po czym precz odrzucił sztuciec,
Warknął, burknął i chciał uciec.

Kucharz, widząc to, wpadł na psa,
Porządnego dał mu klapsa,
A na obiad zamiast klopsa
Spożył – zły jak mops – rolmopsa.

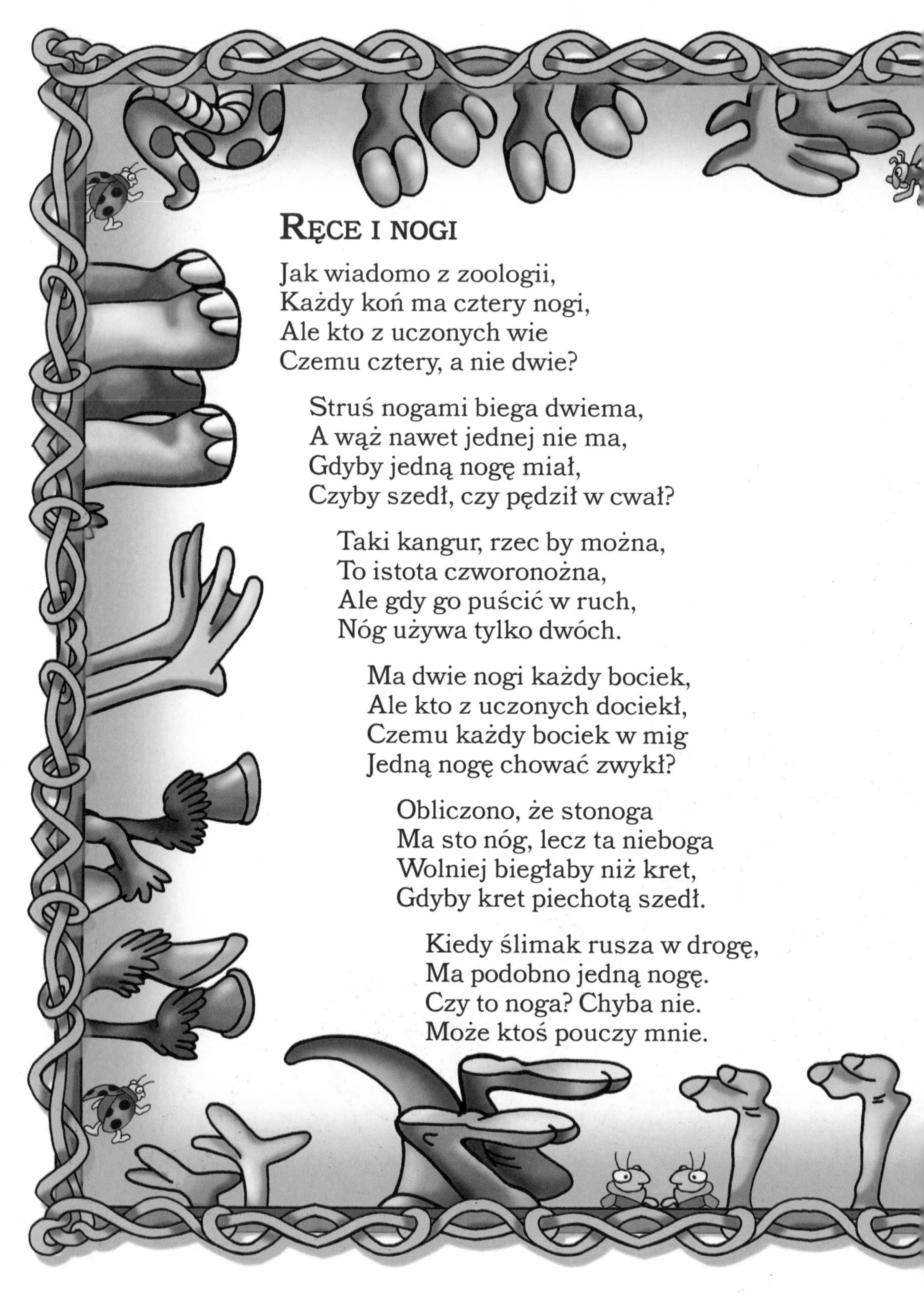

Ręce i nogi

Jak wiadomo z zoologii,
Każdy koń ma cztery nogi,
Ale kto z uczonych wie
Czemu cztery, a nie dwie?

Struś nogami biega dwiema,
A wąż nawet jednej nie ma,
Gdyby jedną nogę miał,
Czyby szedł, czy pędził w cwał?

Taki kangur, rzec by można,
To istota czworonożna,
Ale gdy go puścić w ruch,
Nóg używa tylko dwóch.

Ma dwie nogi każdy bociek,
Ale kto z uczonych dociekł,
Czemu każdy bociek w mig
Jedną nogę chować zwykł?

Obliczono, że stonoga
Ma sto nóg, lecz ta nieboga
Wolniej biegłaby niż kret,
Gdyby kret piechotą szedł.

Kiedy ślimak rusza w drogę,
Ma podobno jedną nogę.
Czy to noga? Chyba nie.
Może ktoś pouczy mnie.

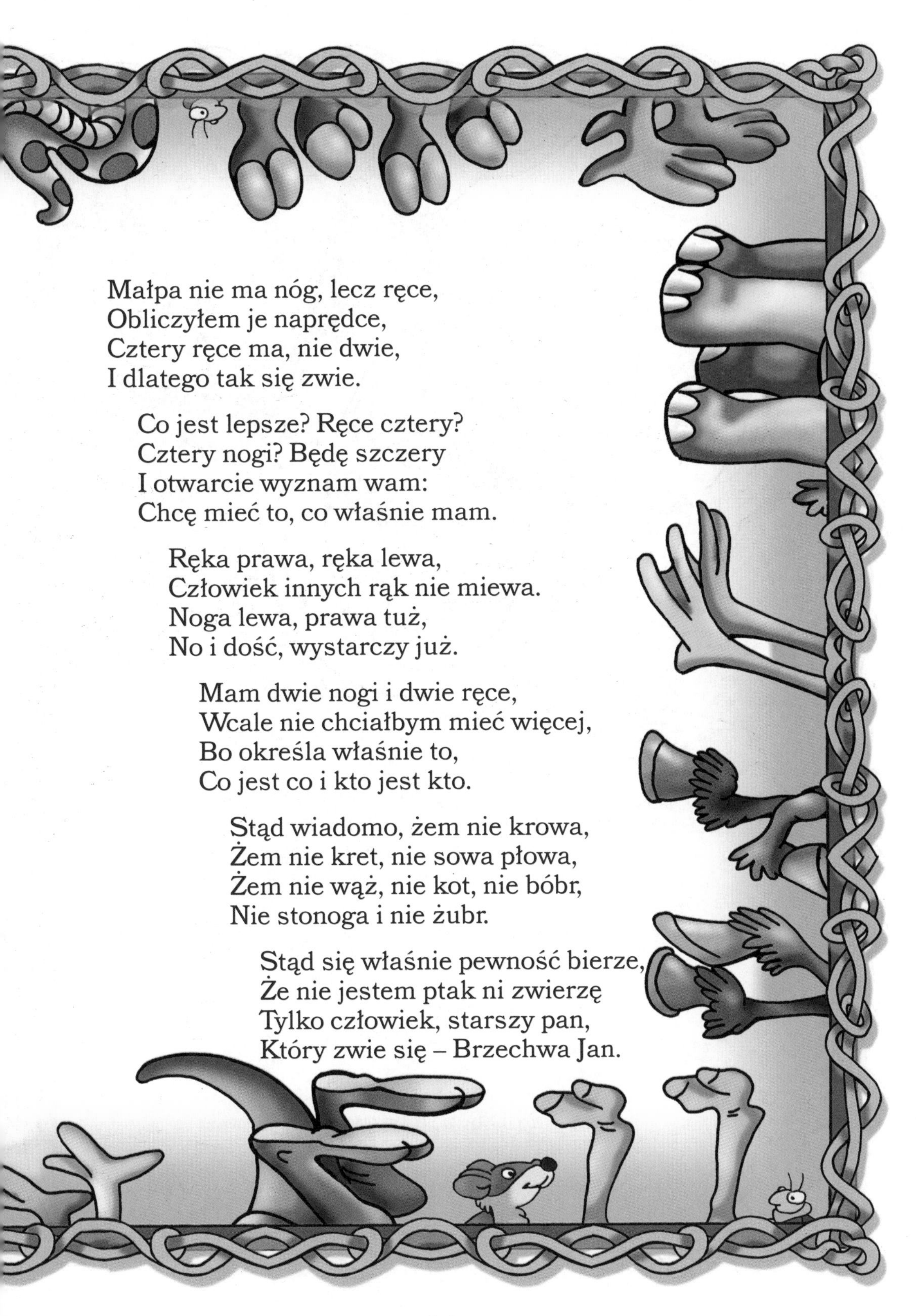

Małpa nie ma nóg, lecz ręce,
Obliczyłem je naprędce,
Cztery ręce ma, nie dwie,
I dlatego tak się zwie.

Co jest lepsze? Ręce cztery?
Cztery nogi? Będę szczery
I otwarcie wyznam wam:
Chcę mieć to, co właśnie mam.

Ręka prawa, ręka lewa,
Człowiek innych rąk nie miewa.
Noga lewa, prawa tuż,
No i dość, wystarczy już.

Mam dwie nogi i dwie ręce,
Wcale nie chciałbym mieć więcej,
Bo określa właśnie to,
Co jest co i kto jest kto.

Stąd wiadomo, żem nie krowa,
Żem nie kret, nie sowa płowa,
Żem nie wąż, nie kot, nie bóbr,
Nie stonoga i nie żubr.

Stąd się właśnie pewność bierze,
Że nie jestem ptak ni zwierzę
Tylko człowiek, starszy pan,
Który zwie się – Brzechwa Jan.

Zero

Toczyło się po drodze:
„Z drogi, gdy ja przechodzę!
Ja jestem sto tysięcy,
A może jeszcze więcej”.

Folgując swej naturze,
Wołało: „Jestem duże!”

Pyszniło się przed światem,
Że takie jest pękate.

Mówili wszyscy z cicha:
„Ma brzuch, a brzuch to pycha”.
I później się dopiero
Spostrzegli, że to zero.

Ćwikła

Raz buraczek nieboraczek
Zaczerwienił się jak raczek:
„Toż gałgaństwo jest niezwykłe,
Żeby robić ze mnie ćwikłę
I ucierać razem z chrzanem.
Nie, to wprost jest niesłychane!”

Na to chrzan, choć był utarty,
Z gniewu zgorzkniał nie na żarty
I powiedział w irytacji:
„Nie rozumiem, z jakiej racji
Jakiś burak za pięć groszy
Przy mnie tutaj się panoszy!”

Burak swoje, a chrzan swoje,
Zaperzyli się oboje,
Nie wiadomo, kto ma rację,
A tu czas już na kolację,
Więc przy stole goście siedli
I do mięsa ćwikłę zjedli.

Nie ma chrzanu ni buraka.
Ot – i cała bajka taka.

Chrzan

Płacze chrzan na salaterce,
Aż się wszystkim kraje serce.
„Panie chrzanie,
Niech pan przestanie!”

Chudy seler płacze także,
Mówiąc czule: „Panie szwagrze,
Panie chrzanie,
Niech pan przestanie!”

Rozpłakała się włoszczyzna:
„Jak to można? Pan mężczyzna,
Panie chrzanie,
Niech pan przestanie!”

Pochlipuje bochen chleba:
„No, już dosyć! No, nie trzeba!
Panie chrzanie,
Niech pan przestanie!”

Ścierka łka nad salaterką:
„Niechże pan nie będzie ścierką,
Panie chrzanie,
Niech pan przestanie!”

Wszystkich żal ogarnął wielki,
Płaczą rondle i rondelki:
„Panie chrzanie,
Niech pan przestanie!”

A chrzan na to: „Wolne żarty!
Płaczę tak, bo jestem tarty,
Lecz mi nie żal tego stanu,
A łzy wasze są do chrzanu!”

Lis i jaskółka

Namówił lis jaskółkę,
By z nim zawarła spółkę.
„To – rzecze – proste całkiem:
Mam pola pręt z kawałkiem,

Coś na nim zasadzimy,
A przed nadejściem zimy
Zbierzemy plon pomału,
Pół na pół do podziału,

Pani się zna na roli,
Co z dwojga pani woli,
Wierzchołki czy korzonki?"
„Wyznaję bez obsłonki,

Że ja wierzchołki wolę."
Lis szybko pobiegł w pole
I zasiał pełno marchwi,
Więc się jaskółka martwi:

„Plon każdy rolnik zbiera
I nawet lis przechera
Na marchwi się bogaci,
A ja mam kupę naci,

Po prostu kupę ziółek
Niezdatnych dla jaskółek.

Ha, wpadłam, trudna rada,
Lecz tylko raz się wpada!”

A lis już krąży w kółko:
„Cóż powiesz mi, jaskółko?”

„To powiem, że na zmianę
Tym razem ja dostanę

Korzonki. Co pan na to?”
„Ja na to jak na lato,

Wierzchołki nawet wolę.”
To rzekłszy pobiegł w pole

I całą przestrzeń pustą
Obsadził w mig kapustą.

W ostatnim dniu kwartału
Znów przyszło do podziału:

Lis wziął kapustę całą,
Jaskółce zaś zostało

Pięć wiązek i pół szóstej
Korzonków od kapusty.

Mówią odtąd jaskółki,
Że niedobre są spółki.

Zegarek

„Jak się zegarkowi powodzi?"
„Owszem, niczego, chodzi."
„Podobno spieszy się o trzy minuty?"
„Owszem. Jest trochę zepsuty."

Zegarek w duchu klnie,
Bardzo mu to nie w smak,
Chciałby powiedzieć: „Nie!"
A mówi: „Tak-tak, tak-tak, tak-tak".

„Pan jakoś dziś niewesoły?"
„Bo się spóźniłem do szkoły."
„Nie wiedział pan, która godzina?
Czyżby pękła sprężyna?"

Zegarek w duchu klnie,
Bardzo mu to nie w smak,
Chciałby powiedzieć: „Nie!"
A mówi: „Tak-tak, tak-tak, tak-tak".

„Jakiej to marki zegarek?"
„Ja nie wiem. Tyle jest marek..."
„To zwykła tandeta, panie,
Za chwilę na pewno stanie!"

Zegarek w duchu klnie,
Bardzo mu to nie w smak,
Chciałby powiedzieć: „Nie!"
A mówi: „Tak-tak, tak-tak, tak-tak..."

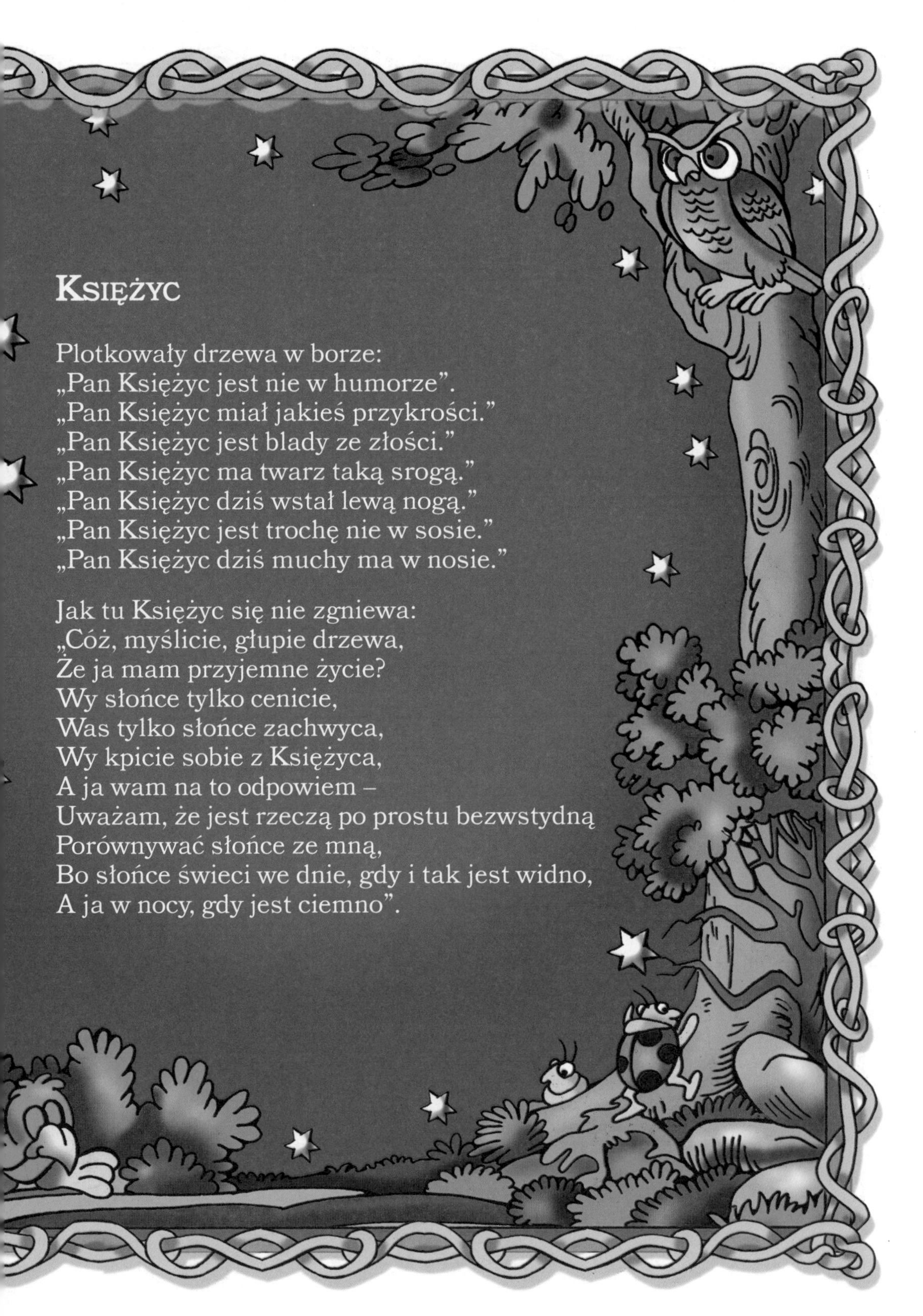

Księżyc

Plotkowały drzewa w borze:
„Pan Księżyc jest nie w humorze".
„Pan Księżyc miał jakieś przykrości."
„Pan Księżyc jest blady ze złości."
„Pan Księżyc ma twarz taką srogą."
„Pan Księżyc dziś wstał lewą nogą."
„Pan Księżyc jest trochę nie w sosie."
„Pan Księżyc dziś muchy ma w nosie."

Jak tu Księżyc się nie zgniewa:
„Cóż, myślicie, głupie drzewa,
Że ja mam przyjemne życie?
Wy słońce tylko cenicie,
Was tylko słońce zachwyca,
Wy kpicie sobie z Księżyca,
A ja wam na to odpowiem –
Uważam, że jest rzeczą po prostu bezwstydną
Porównywać słońce ze mną,
Bo słońce świeci we dnie, gdy i tak jest widno,
A ja w nocy, gdy jest ciemno".

ENTLICZEK-PENTLICZEK

Entliczek-pentliczek, czerwony stoliczek,
A na tym stoliczku pleciony koszyczek,

W koszyczku jabłuszko, w jabłuszku robaczek,
A na tym robaczku zielony kubraczek.

Powiada robaczek: „I dziadek, i babka,
I ojciec, i matka jadali wciąż jabłka,

A ja już nie mogę! Już dosyć! Już basta!
Mam chęć na befsztyczek!" I poszedł do miasta.

Szedł tydzień, a jednak nie zmienił zamiaru,
Gdy znalazł się w mieście, poleciał do baru.

Są w barach – wiadomo – zwyczaje utarte:
Podchodzi doń kelner, podaje mu kartę,

A w karcie – okropność! – przyznacie to sami:
Jest zupa jabłkowa i knedle z jabłkami,

Duszone są jabłka, pieczone są jabłka
I z jabłek szarlotka, i kompot, i babka!

No, widzisz, robaczku! I gdzie twój befsztyczek?
Entliczek-pentliczek, czerwony stoliczek.

Dziura w moście

Na obiad jadą goście.
– Uwaga! Dziura w moście!

Pod mostem płynie rzeka,
Wiadomo, że z daleka.

Do morza wpada rada,
Inaczej nie wypada.

– Uwaga! Dziura w moście!
Lecz goście, jak to goście,

Czy dziura, czy też woda –
To dla nich nie przeszkoda.

Więc pierwszy wpadł do wody
Aptekarz niezbyt młody,

A za nim w ślad sędzina
I doktor z Krotoszyna.

Następnie z mostu leci
Dentystka z trojgiem dzieci,

Mierniczy, pisarz gminny
I rejent niezbyt zwinny,

I burmistrz, smakosz wielki,
I dwie nauczycielki.

Płynęli, jak umieli,
Od środy do niedzieli,

Do Płocka dopłynęli,
Dość mieli tej kąpieli.

Więc pierwszy wyszedł z wody
Aptekarz niezbyt młody,

A za nim w ślad sędzina,
Dentystka cała sina,

A potem jej rodzina
I doktor z Krotoszyna,

Mierniczy cały drżący
I rejent kichający,

I burmistrz, smakosz wielki,
I dwie nauczycielki,

I w końcu pisarz gminny,
A obiad zjadł kto inny.

Bo czyż potrzebni goście?
Owszem. Jak dziura w moście!

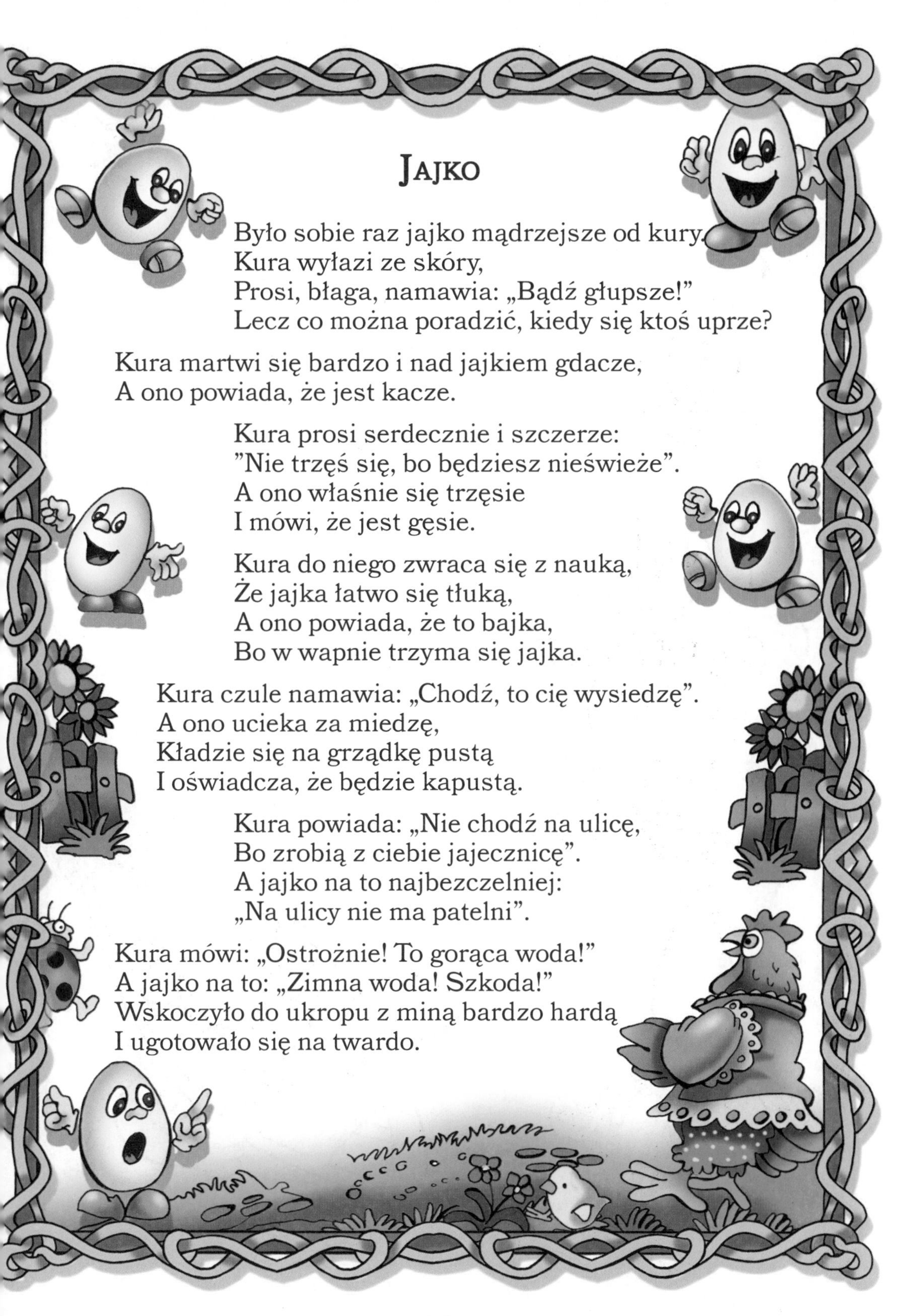

Jajko

Było sobie raz jajko mądrzejsze od kury.
Kura wyłazi ze skóry,
Prosi, błaga, namawia: „Bądź głupsze!"
Lecz co można poradzić, kiedy się ktoś uprze?

Kura martwi się bardzo i nad jajkiem gdacze,
A ono powiada, że jest kacze.

Kura prosi serdecznie i szczerze:
"Nie trzęś się, bo będziesz nieświeże".
A ono właśnie się trzęsie
I mówi, że jest gęsie.

Kura do niego zwraca się z nauką,
Że jajka łatwo się tłuką,
A ono powiada, że to bajka,
Bo w wapnie trzyma się jajka.

Kura czule namawia: „Chodź, to cię wysiedzę".
A ono ucieka za miedzę,
Kładzie się na grządkę pustą
I oświadcza, że będzie kapustą.

Kura powiada: „Nie chodź na ulicę,
Bo zrobią z ciebie jajecznicę".
A jajko na to najbezczelniej:
„Na ulicy nie ma patelni".

Kura mówi: „Ostrożnie! To gorąca woda!"
A jajko na to: „Zimna woda! Szkoda!"
Wskoczyło do ukropu z miną bardzo hardą
I ugotowało się na twardo.

Zapałka

Mówiła dumnie zapałka:
„Pokażcie takiego śmiałka,
Co w domu zadarłby ze mną,
Gdy nagle zrobi się ciemno.
Doprawdy, słońce jest niczym
Ze swym błyszczącym obliczem,
Bo tylko w dzień świecić może,
A ja zaś o każdej porze!"

„To ci heca!" –
Rzekła świeca.

Zapałka na to zuchwale:
„Gdy zechcę, świat cały spalę
I choć nie lubię się chwalić,
Potrafię Wisłę podpalić".
Po czym, po krótkim namyśle,
Skoczyła i znikła w Wiśle.
Tak się skończyły przechwałki
Zarozumiałej zapałki.

„To ci heca!" –
Rzekła świeca.

Rzepa i miód

Chwaliła się raz rzepa przed całym ogrodem,
Że jest bardzo smaczna z miodem.
Na to miód się odezwie i tak jej przygani:
„A ja jestem smaczny i bez pani!"

Łata i dziura

Miało palto dwa rękawy:
Łatany był rękaw prawy,
A lewy – dziurawy.

Rzecze lewy do prawego:
„Fe, kolego,
Jak się zgodzić można na to,
Żeby świecić taką łatą?"

Na to prawy odpowiada:
„Łata, kolego, nie wada,
Dziura wiele nie wskóra,
Lepsza jest brzydka łata niźli ładna dziura".

Osioł i róża

Przemówił osioł do róży:
„Tak pani zapach mnie nuży,
A kolce, paniusiu złota,
To jest zwyczajna głupota.
I taka pani pąsowa,
Że boli po prostu głowa.
Niech pani weźmie pokrzywę:
Z niej są korzyści prawdziwe,
Bezwonna jest, no, a przy tym
Zjeść można ją z apetytem.
I każdy osioł to powie:
Pokrzywa taka – to zdrowie!”

A na to róża wyniośle
Odrzecze: „Na szczęście, ośle,
Nie same osły na świecie”.

„E, głupstwa paniusia plecie,
Już znam się na tej piosence,
Toć nas jest na świecie więcej!”

Tulipan i róża

W jednym stali wazonie tulipan i róża.
Rzekł tulipan:
„Dalipan,
Że to mnie oburza,
Pokoju nikt nie wietrzy, duszno niesłychanie,
W takiej temperaturze żyć nie jestem w stanie.
Lufcik niech gospodyni przynajmniej otworzy,
Już wczoraj źle się czułem, a dziś – jeszcze gorzej!”

Odrzecze na to róża: „Panie
Tulipanie,
Proszę, niech pan nie nudzi i kwękać przestanie.
Egoista i sobek z pana! Jak pan może
Domagać się wietrzenia, gdy chłód jest na dworze?
Jeśli pan nie zamilknie – język panu przytnę!
Zdrowie mam takie kruche, płatki aksamitne,
Łodyżki delikatne, przeciągów się boję,
Zaraz dreszczy dostaję, gdy wietrzą pokoje,
Woń, barwę mogę stracić przy lada chorobie,
A pana to nie wzrusza. Pan myśli o sobie!”

Rzekł tulipan:
„Dalipan,
Sądzi pani błędnie,
Wiadomo, że kwiat każdy bez powietrza więdnie,
Lecz jeśli pani każe – chętnie się poświęcę,
Dla pięknej róży – wszystko! I nie mówmy więcej!
Okna pozamykane niech będą. Pokoje
Nieprzewietrzane. Trudno!”
I zwiędli oboje.

Nazajutrz gospodyni, żałując tej straty,
Wyrzuciła na śmietnik dwa zwiędnięte kwiaty.

Na straganie

Na straganie w dzień targowy
Takie słyszy się rozmowy:

„Może pan się o mnie oprze,
Pan tak więdnie, panie koprze".

„Cóż się dziwić, mój szczypiorku,
Leżę tutaj już od wtorku!"

Rzecze na to kalarepka:
„Spójrz na rzepę – ta jest krzepka!"

Groch po brzuszku rzepę klepie:
„Jak tam, rzepo? Coraz lepiej?"

„Dzięki, dzięki, panie grochu,
Jakoś żyje się po trochu.

Lecz pietruszka – z tą jest gorzej –
Blada, chuda, spać nie może."

„A to feler" –
Westchnął seler.

Burak stroni od cebuli,
A cebula doń się czuli:

„Mój buraku, mój czerwony,
Czybyś nie chciał takiej żony?"

Burak tylko nos zatyka:
„Niech no pani prędzej zmyka,

Ja chcę żonę mieć buraczą,
Bo przy pani wszyscy płaczą".

„A to feler” –
Westchnął seler.

Naraz słychać głos fasoli:
„Gdzie się pani tu gramoli?!”

„Nie bądź dla mnie taka wielka” –
Odpowiada jej brukselka.

„Widzieliście, jaka krewka!” –
Zaperzyła się marchewka.

„Niech rozsądzi nas kapusta!”
„Co, kapusta?! Głowa pusta?!”

A kapusta rzecze smutnie:
„Moi drodzy, po co kłótnie,

Po co wasze swary głupie,
Wnet i tak zginiemy w zupie!”

„A to feler!” –
Westchnął seler.

Nie pieprz Pietrze

„Nie pieprz, Pietrze, pieprzem wieprza,
Wtedy szynka będzie lepsza."

„Właśnie po to wieprza pieprzę,
Żeby mięso było lepsze."

„Ależ będzie gorsze, Pietrze,
Kiedy w wieprza pieprz się wetrze!"

Tak się sprzecza Piotr z Piotrową,
Wreszcie posłał po teściową.

Ta aż w boki się podeprze:
„Wieprza pieprzysz, Pietrze, pieprzem?

Przecież wie to każdy kiep, że
Wieprze są bez pieprzu lepsze!"

Piotr pomyślał: „Też nielepsza!”
No, i dalej pieprzy wieprza.

Poszli wreszcie do starosty,
Który znalazł sposób prosty:

„Wieprza pieprz po prawej stronie,
A tę lewą oddaj żonie”.

Mądry sąd wydała władza,
Lecz Piotrowi nie dogadza.

„Klepać biedę chcesz, to klepże,
A ja chcę sprzedawać wieprze.”

Błaga żona: „Bądź już lepszy,
Nie pieprz wieprza!” A on pieprzy.

To Piotrową tak zgniewało,
Że wylała zupę całą,

Piotr zaś poszedł wprost do Wieprza
I utopił w Wieprzu wieprza.

Żołądek

Żarłoki mają złe zwyczaje,
A kto się na noc zbytnio naje,
Temu żołądek spać nie daje.

Ręce więc złoszczą się z początku:
„Ty nam nie dajesz spać, żołądku,
To jest, żołądku, nie w porządku!"

Niebawem głowa się odzywa:
„Na złych manierach ci nie zbywa,
Przez ciebie jestem nieszczęśliwa".

Po chwili krzyk podnoszą nogi:
„Chcemy już spać, żołądku drogi,
A ty zakłócasz sen nasz błogi".

Wątroba kwęka: „Pora nocna,
Już ze snu się wybiłam do cna,
A wszak nie jestem taka mocna".

Serce się tłucze coraz głośniej:
„Żołądku, miotasz się nieznośnie,
Przez ciebie moich snów nie dośnię!"

Oczy i usta jęczą z cicha,
Zgrzytają zęby, język prycha:
„Żołądku, dość już, dość, u licha!"

No a żołądek, płacząc prawie,
Wzdycha: „Cóż mogę rzec w tej sprawie?
Ja się nie bawię, tylko trawię,

A do strawienia mam, niestety,
Dwie bułki, masło, ser, kotlety,
Jeszcze daleko mi do mety..."

Żarłoki mają złe zwyczaje
I kto się na noc zbytnio naje,
Ten niewyspany potem wstaje.

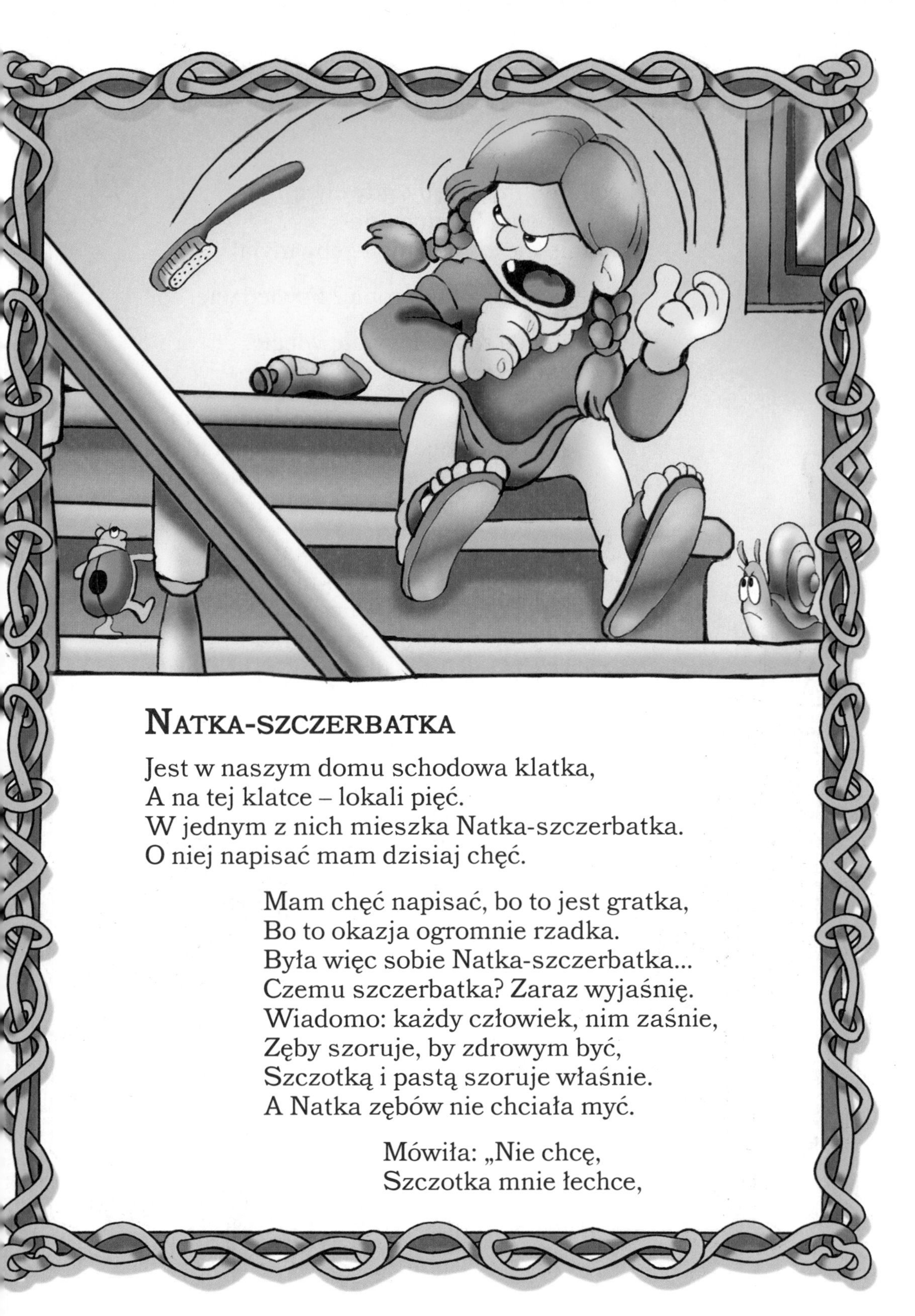

NATKA-SZCZERBATKA

Jest w naszym domu schodowa klatka,
A na tej klatce – lokali pięć.
W jednym z nich mieszka Natka-szczerbatka.
O niej napisać mam dzisiaj chęć.

Mam chęć napisać, bo to jest gratka,
Bo to okazja ogromnie rzadka.
Była więc sobie Natka-szczerbatka...
Czemu szczerbatka? Zaraz wyjaśnię.
Wiadomo: każdy człowiek, nim zaśnie,
Zęby szoruje, by zdrowym być,
Szczotką i pastą szoruje właśnie.
A Natka zębów nie chciała myć.

Mówiła: „Nie chcę,
Szczotka mnie łechce,

Niech inni myją zęby, gdy chcą,
A ja nie będę! I żadna siła
Już mnie nie zmusi, bym zęby myła!"

Co z taką robić? Powiedzcie, co?

Nie wiem, co robić. I wy nie wiecie.
Dużo jest takich Natek na świecie.

Myjemy zęby szczotką i pastą,
Cóż więc obchodzi i was, i mnie,
Cóż w rzeczy samej obchodzi nas to,
Czy Natka myje zęby, czy nie?

Cóż nas obchodzi jakaś tam Natka?
Niech się nią zajmie ojciec i matka –
My z niej przykładu nie chcemy brać,
Bo to, po prostu, głupia dzierlatka,
Która o zęby nie umie dbać.

Natka nie dbała, myć ich nie chciała.
Oto, po prostu, historia cała.

Czy opowiadać mam do ostatka,
Czemu sąsiedzi od paru lat
Mówią o Natce: „Natka-szczerbatka"?
Myślę, że każdy dawno już zgadł,
Co znaczy taka przypięta łatka
I to przezwisko: „Natka-szczerbatka".

Chory muł

Pewien muł
Niedobrze się czuł,
Więc poszedł do lekarza i rzekł:
– Niech pan doktor mi da jakiś lek.
Zapytał muła lekarz:
– A na co ty, mule, narzekasz?
Co ci dolega, mule?
Rzekł mu: – Mam łamania i bóle.
– A co boli cię? – lekarz znów pyta.
– Oj, bolą mnie, bolą kopyta,
A jeśli mam przy tym być szczery,
To nie jedno, nie dwa, ale cztery,
Wszystkie cztery, do samej kości,
Nawet ruszyć żadnym nie mogę...
I na dowód swojej słabości
Kopnął lekarza w nogę.

Stąd prawda wynika doniosła,
Że muł jednak ma w sobie coś z osła.

Głowa w piasku

Dla uniknięcia domowych niesnasek
Struś schował głowę w piasek.
Tymczasem szła pani strusiowa.
– A któż to ukrywa tu się?
A któż to przede mną się chowa?
Poznaję pióra strusie,
A po piórach poznaję osobę.
I mówiąc to kolnęła strusia dziobem.
– Tuś, mój mężusiu, tuś!
Struś skoczył jak oparzony.
Bo to wcale nie był mąż tej żony,
Tylko zupełnie inny struś.

Strusiowa widząc nieporozumienie
Przepraszała strusia szalenie,
On zaś jęknął: – Rozumiem pomyłkę, rzecz prosta,
Ale com dostał, tom dostał.

No widzisz, kochany głuptasku,
Pomyśl, czy warto chować głowę w piasku?

Kłótnia rzek

Jaki powód rzeki miały,
Że się nagle posprzeczały
I tak długo trwały w gniewie,
Tego nikt naprawdę nie wie.
Ponoć pierwsza rzekła Warta,
Że jest Noteć nic nie warta,
Warcie na to rzekła Odra,
Że jest głupia i niedobra.

Wtedy padły słowa Wieprza:
„Sama też nie jesteś lepsza!"

Wieprza znów skarciła Raba:
„Oby cię wypiła żaba!"

Na to się odezwie Nida:
„Tobie samej też się przyda!"

Biebrza na to rzecze grzecznie:
„Mówisz, rzeko, niedorzecznie".

Jak nie skoczy San na Biebrzę:
„Sama wciąż u Narwi żebrze,
A dla innych – niełaskawa!"

„San, a głupi!" – rzekła Skawa.

I tak trwały kłótnie długie
Sanu z Sołą, Wieprza z Bugiem,
Ledwie coś tam powie która,
A już Nysa, a już Bzura,

A już Odra czy Barycza
Wszystkie wady jej wylicza.
Tak się to sprzykrzyło Wiśle,
Że im rzekła po namyśle:

„Drogie rzeki, biorąc ściśle,
Waszych słów naprawdę szkoda,
Przecież to jest wszystko woda.
Jednakowy los nas czeka,
W morze wpadnie każda rzeka”.

Gdy tak rzekła mądra Wisła,
Cała zwada zaraz prysła.

ANDRONY

Dwie krawcowe

Wędrowały dwie krawcowe,
Szyły piękne suknie nowe.

Szyły suknie w groszki, w kwiatki,
W paski, w kratki i w zakładki,

W krążki, w prążki oraz w cętki,
Aż cieszyły się klientki.

Kiedy przyszły do Skierniewic,
Zobaczyły osiem dziewic,

Osiem panien burmistrzanek
Różowiutkich jak poranek.

Wezwał burmistrz dwie krawcowe:
„Dla mych córek zróbcie nowe

Piękne suknie w różny deseń,
Niech wystroją się na jesień!"

Rozłożyły dwie krawcowe
Materiały kolorowe.

Siedem panien skromny gust ma,
A kaprysi właśnie ósma:

Nie chce krążków, prążków, kratek
Ani groszków na dodatek,

Na desenie wciąż się dąsa,
Oczy we łzach, buzia w pąsach.

Burmistrz łamie sobie głowę,
Wreszcie woła dwie krawcowe:

„W magistracie, jak to bywa,
Dokumenty mam w archiwach,

Mogę dać wam z dokumentów
Pięćset kropek z atramentu.

Dość już mam tej całej szopki,
Niechaj będzie suknia w kropki!"

Burmistrzanka się uśmiecha:
„Z kropek może być pociecha!"

Bardzo długo trwało szycie,
Lecz wypadło znakomicie

I na balach tym ślicznościom
Przyglądano się z zazdrością.

Odtąd panny w Skierniewicach
Mają kropki na spódnicach.

Talerz

Kto zgłębi z was, jak należy,
Czy talerz stoi, czy leży?

Odrzecze stół: – Drodzy moi,
Kto nie ma nóg, ten nie stoi.

Urażać nie chcę talerzy,
Lecz talerz na stole leży.

Zawołała karafka: – Ależ,
Ja nie wiem, czy stoi talerz,

Znam za to zwyczaje swoje:
Choć nie mam nóg, jednak stoję!

Chleb rzekł: – To rzeczy nienowe,
Zadzierasz, karafko, głowę.

– O, właśnie – karafka brzęknie –
Mieć głowę to już jest pięknie,

Gdzie szyjka jest, tam i głowa
I stąd postawa pionowa.

A ty spójrz, proszę, na siebie.
Ty leżysz! Rozumiesz, chlebie?

Tu ostro zgrzytnęły noże:
– Stoi, kto leżeć nie może,

A chwalić się tym nie trzeba,
Nie trzeba zwłaszcza kpić z chleba!

Talerze tylko milczały,
Milczały, bo nie wiedziały,

Co o tym sądzić należy:
Czy talerz stoi, czy leży?

I czy jest jakaś zasada,
Którą stosować wypada?

A goście siedli do stołu,
Każdy zjadł talerz rosołu,

Następnie talerz bigosu,
Lecz żaden nie zabrał głosu,

Jak rzecz rozsądzić należy:
Czy talerz stoi, czy leży?

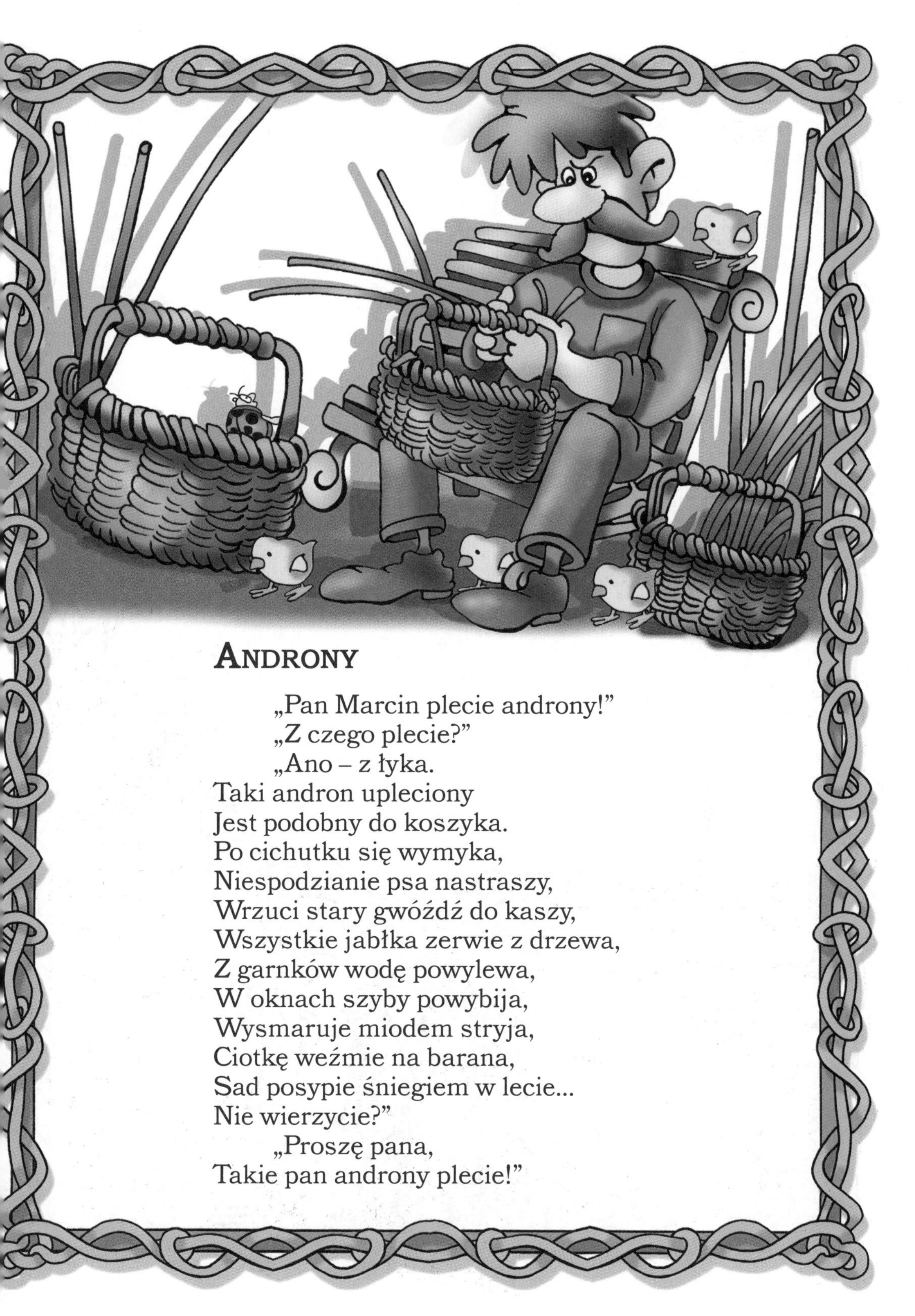

Androny

„Pan Marcin plecie androny!”
„Z czego plecie?”
„Ano – z łyka.
Taki andron upleciony
Jest podobny do koszyka.
Po cichutku się wymyka,
Niespodzianie psa nastraszy,
Wrzuci stary gwóźdź do kaszy,
Wszystkie jabłka zerwie z drzewa,
Z garnków wodę powylewa,
W oknach szyby powybija,
Wysmaruje miodem stryja,
Ciotkę weźmie na barana,
Sad posypie śniegiem w lecie...
Nie wierzycie?”
„Proszę pana,
Takie pan androny plecie!”

Na wyspach Bergamutach

Na wyspach Bergamutach
Podobno jest kot w butach,

Widziano także osła,
Którego mrówka niosła,

Jest kura samograjka
Znosząca złote jajka,

Na dębach rosną jabłka
W gronostajowych czapkach,

Jest i wieloryb stary,
Co nosi okulary,

Uczone są łososie
W pomidorowym sosie

I tresowane szczury
Na szczycie szklanej góry,

Jest słoń z trąbami dwiema
I tylko... wysp tych nie ma.

Tydzień

Tydzień dzieci miał siedmioro:
„Niech się tutaj wszystkie zbiorą!"

Ale przecież nie tak łatwo
Radzić sobie z liczną dziatwą:

Poniedziałek już od wtorku
Poszukuje kota w worku,

Wtorek środę wziął pod brodę:
„Chodźmy sitkiem czerpać wodę".

Czwartek w górze igłą grzebie
I zaszywa dziury w niebie.

Chcieli pracę skończyć w piątek,
A to ledwie był początek.

Zamyśliła się sobota:
„Toż dopiero jest robota!"

Poszli razem do niedzieli,
Tam porządnie odpoczęli.

Tydzień drapie się w przedziałek:
„No, a gdzie jest poniedziałek?"

Poniedziałek już od wtorku
Poszukuje kota w worku –

I tak dalej...

Stryjek

Miał stryjek pod Gródkiem
Chałupę z ogródkiem.
„Dużo z tym zachodu,
Dosyć mam ogrodu!"

I wszystko, co miał, to
Zamienił na auto.
Zyskał wiele-mało,
Dobrze mu się działo.

Jeździł autem tydzień,
Kiepsko jakoś idzie.
„Dużo z tym zachodu,
Nie chcę samochodu,

Zrobię znów zamianę,
Lepszą rzecz dostanę."
Dostał krowę białą,
Dobrze mu się działo.

Wypił wiadro mleka,
Ale znów narzeka:
„Mam ja krowę białą,
Za to mleka mało.
Chętnie ją zamienię
Na radio w tej cenie".
No i oddał rad ją,
Biorąc w zamian radio.
Zyskał wiele-mało,
Dobrze mu się działo.

Lecz radio, jak wiecie,
Bardzo trzeszczy w lecie...
Stryjek myśli sobie:
„Ano wiem, co zrobię,
Pudło to zamienię
Na żywe stworzenie".
Mieszkał chłop przy szosie,
Dał za radio prosię.
Chętnie wziął je stryjek,
Pocałował w ryjek:
„Jak nastanie bieda,
To się prosię sprzeda".

Poszedł stryjek lasem,
Przyśpiewując basem,
Dźwiga swoje prosię:
„Wolę pozbyć go się,
Mdleją ręce obie,
Więc najlepiej zrobię,
Jeśli to stworzenie
Znów na coś zamienię".

Siedział drwal pod lasem
Z siekierką za pasem.
Stryjek tedy rzecze:
„Posłuchaj, człowiecze,
Otóż sprawa taka –
Ja ci dam prosiaka,
Ty siekierkę daj mi,
Zyskam coś przynajmniej”.
Zyskał wiele-mało,
Dobrze mu się działo.

Poszedł stryjek lasem
Z siekierką za pasem.
Myśli poniewczasie:
„Na cóż ona zda się?
Jak spadnie na nogę,
Stracić nogę mogę!”
Więc zamienił stryjek
Siekierkę na kijek.

Zyskał wiele-mało,
Dobrze mu się działo,
Bo dostał po dziadku
Cztery domy w spadku.

Pytalski

Na ulicy Trybunalskiej
Mieszka sobie Staś Pytalski,
Co gdy tylko się obudzi,
Pytaniami dręczy ludzi:

W którym miejscu zaczyna się kula?
Co na deser gotują dla króla?
Ile kroków jest stąd do Powiśla?
O czym myślałby stół, gdyby myślał?
Czy lenistwo na łokcie się mierzy?
Skąd wiadomo, że Jurek to Jerzy?
Kto powiedział, że kury są głupie?
Ile much może zmieścić się w zupie?
Na co łysym potrzebna łysina?
Kto indykom guziki zapina?
Skąd się biorą bruneci na świecie?
Ile ważą dwa kleksy w kajecie?
Czy się wierzy niemowie na słowo?
Czy jaskółka potrafi być krową?

Dziadek już od roku siedzi
I obmyśla odpowiedzi,
Babka jakiś czas myślała,
Ale wkrótce osiwiała.
Matka wpadła w stan nerwowy
I musiała zażyć bromu,
Ojciec zaś poszedł po rozum do głowy
I kiedy powróci – nie wiadomo.

Ciotka Danuta

Gruba ciotka Danuta
Robi swetry na drutach.

Już po pięciu minutach
Dowiedziały się o tym jaskółki,
Gwałt podniosły z wróblami do spółki:
„Jak to? Ciotka Danuta
Robi swetry na drutach?
Na drutach siadają ptaki,
Lecz ciotka? Skąd pomysł taki?
A lećcież do niej gromadnie,
Bo wam ciotka z drutów spadnie!"

WĄŻ–KALIGRAF

Daleko, w krainie Goa,
Żył bardzo długo wąż boa,
Który przedziwnym trafem
Był świetnym kaligrafem.

Miał jednak tę naturę,
Że liter nie pisał piórem.
Pióro – rzecz nauczycielska,
On zaś litery niektóre
Tworzył wprost z własnego cielska.

Kiedy więc barana zjadał,
W literę Be się układał,
A kiedy lwa brał na cel,
Zwijał się w literę eL.

Żeby zgruchotać panterę,
Tworzył z siebie Pe literę,
A gdy na szakala szedł,
Skręcał się cały w eS-Zet.
I tylko spotkawszy żyrafę
Popełnił gafę, kiedy gniótł jej grzbiet,
Bo chociaż był kaligrafem,
Nie wiedział, jak kropkę postawić nad Zet.

Tak oto w krainie Goa
Poczynał sobie wąż boa
I sto lat jeszcze przeżyłby chyba,
Lecz go wreszcie myśliwy przydybał.
Wąż nie zdążył poruszyć łbem.
Pif-paf – i już leżał nieżywy.
Leżał w kształcie litery eM.
Na znak, że go zabił myśliwy.

KATAR

Spotkał katar Katarzynę –
A-psik!
Katarzyna pod pierzynę –
A-psik!

Sprowadzono wnet doktora –
A-psik!
„Pani jest na katar chora” –
A-psik!

Terpentyną grzbiet jej natarł –
A-psik!
A po chwili sam miał katar –
A-psik!

Poszedł doktor do rejenta –
A-psik!
A to właśnie były święta –
A-psik!

Stoi flaków pełna micha –
A-psik!
A już rejent w michę kicha –
A-psik!

Od rejenta poszło dalej –
A-psik!
Bo się goście pokichali –
A-psik!

Od tych gości ich znów goście –
A-psik!
Że dudniło jak na moście –
A-psik!

Przed godziną jedenastą –
A-psik!
Już kichało całe miasto –
A-psik!

Aż zabrakło terpentyny –
A-psik!
Z winy jednej Katarzyny –
A-psik!

CIAPTAK

Siedzi Ciaptak na dachu
I wszystkim napędza strachu.
Ludzie patrzą, brednie plotą,
Bo żaden z nich nie wie, co to.

– Widzieliście Ciaptaka?
Czy to jest odmiana ptaka?
Czy może roślina taka?
Czy może garnek, czy bania?
Czy może głowa barania?
A może to rodzaj grzyba?
A może po prostu ryba?
A może zwyczajny płaz?

Ktoś go gdzieś widział już raz,
Ale też nie na pewno,
Bo wtedy wyglądał jak drewno
Pomalowane z dwóch stron,
Więc chyba to nie był on.

Sprowadzono z drabiną strażaka,
Żeby ściągnął z dachu Ciaptaka.
Rzekł strażak: – To rzecz nieklaw
Nie mój dach i nie moja sprawa...

Wezwali wójta sąsiedzi,
A Ciaptak na dachu siedzi,
Syczy, burczy i prycha.
A cóż to za stwór, do licha?

ójt do urzędu wszedł i
agłębił się w encyklopedii.
Ce... Ciaptak... Nie ma Ciaptaka...
może to rodzaj buraka,
górka albo ziemniaka?

Ciaptak na dachu siedzi,
atrząsa się z gawiedzi.

um rośnie, gapią się gapie,
o, kto go za ogon złapie?
Też mądry! Ciaptak nie wrona,
n wcale nie ma ogona!
Co ty tam wiesz, patałachu?!

Ciaptak siedzi na dachu,
abzdyczył się i nadął.
ż nagle zleciał na dół.

Ludzie za nim pognali w te pędy,
A on kluczył tędy, owędy,
Przez pole, przez rzeczkę, przez las,
Tam szybko na drzewo wlazł
I wskoczył do dziupli w drzewie.

A co to jest Ciaptak – nikt nie wie.

Kuma

Przy gumnie siedzi kuma
I duma:
Kum przyszedł: „Nie siedź przy gumnie,
Przybliż się, kumo, ku mnie!”
A kuma
Duma.

O zmierzchu przyszli sąsiedzi:
„A po co kuma tam siedzi?
To wcale nie jest w porządku
Tak dumać, i to przy piątku”.

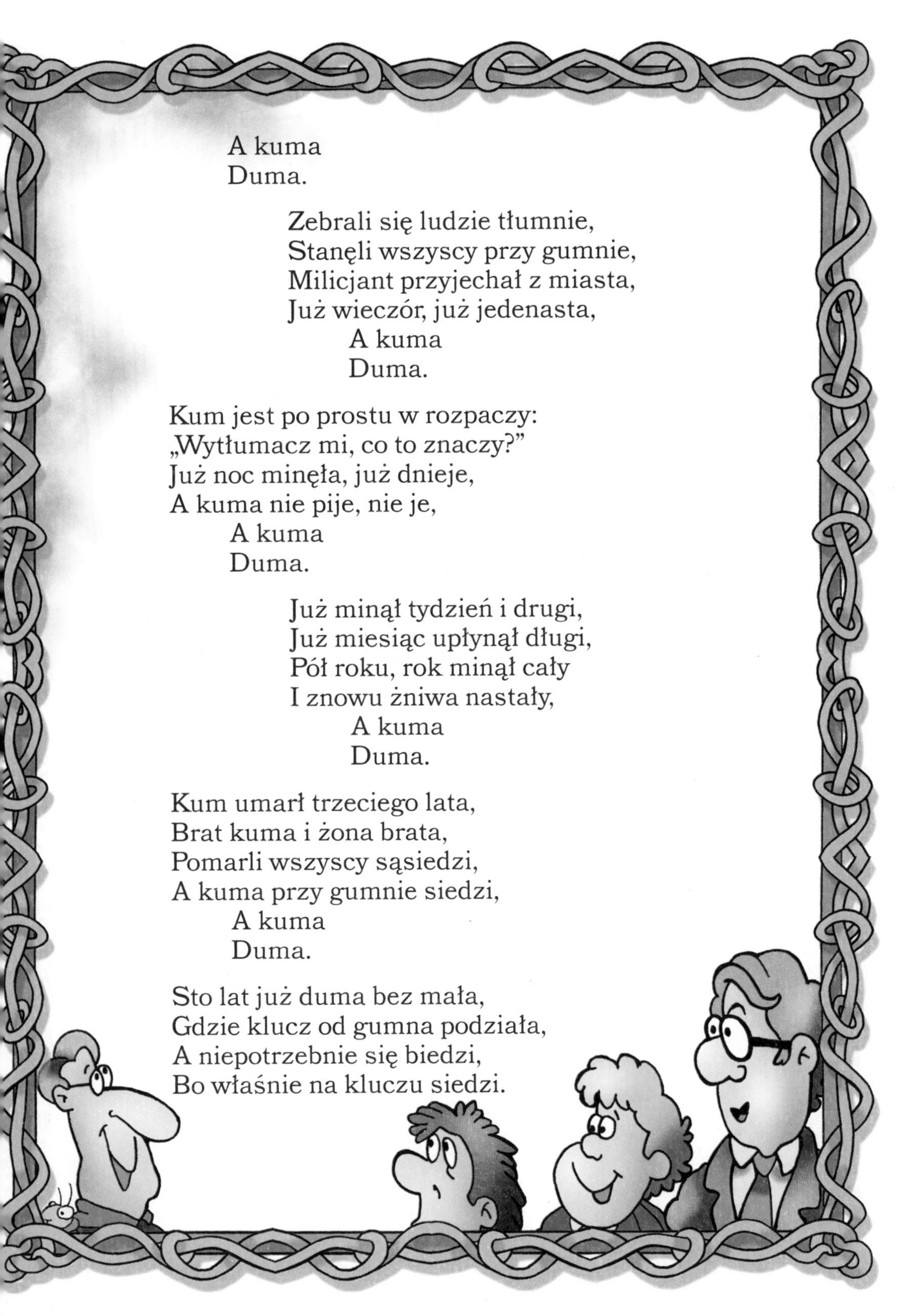

A kuma
Duma.

Zebrali się ludzie tłumnie,
Stanęli wszyscy przy gumnie,
Milicjant przyjechał z miasta,
Już wieczór, już jedenasta,
A kuma
Duma.

Kum jest po prostu w rozpaczy:
„Wytłumacz mi, co to znaczy?"
Już noc minęła, już dnieje,
A kuma nie pije, nie je,
A kuma
Duma.

Już minął tydzień i drugi,
Już miesiąc upłynął długi,
Pół roku, rok minął cały
I znowu żniwa nastały,
A kuma
Duma.

Kum umarł trzeciego lata,
Brat kuma i żona brata,
Pomarli wszyscy sąsiedzi,
A kuma przy gumnie siedzi,
A kuma
Duma.

Sto lat już duma bez mała,
Gdzie klucz od gumna podziała,
A niepotrzebnie się biedzi,
Bo właśnie na kluczu siedzi.

Piątek

Uciekł piątek z kalendarza –
To się nieraz piątkom zdarza.
Poszedł z nudów między ludzi
I wciąż stękał: „Mnie się nudzi!”
Chciał go kowal wziąć do kuźni:
„Piątek w piątek się nie spóźni,
W piątek dobry jest początek,
Taki piątek to majątek”.
Wziął się piątek do roboty,
Nic nie robił do soboty,
Aż się kowal zaczął złościć:
„Cóż ty umiesz?!” „Umiem pościć.”
Kowal na to rzekł po prostu:
„Idź gdzie indziej szukać postu!”

Poszedł piątek do masarza:
„Jestem, panie, z kalendarza,
Jako postny, jem niewiele,
Dość mi śledzia na niedzielę,
Gdybym dostał jakąś pracę,
Chętnie kilka godzin stracę”.
Odrzekł masarz: „Mam kiełbasy,
Na kiełbasy każdy łasy,
Więc to chyba całkiem proste,
Że nie dla mnie piątek z postem”.
Poszedł piątek do stelmacha:
„Pan tak ładnie młotkiem macha.
Ja bym też się zajął pracą,
Może tutaj zdam się na co?”
Ale stelmach zawsze w piątki
Miał z żołądkiem nieporządki,
Więc mu kazał się wynosić:
„I bez ciebie poszczę dosyć!”
Zdun go nie chciał, nie chciał rymarz:
„Długo z takim nie wytrzymasz”.
Idzie piątek i rozważa:
„Wrócę znów do kalendarza”.
Poszedł, zerwał kilka kartek:
„Proszę państwa, dziś jest czwartek,
Jutro piątek. Jutro wszędzie
Niechaj postny obiad będzie”.

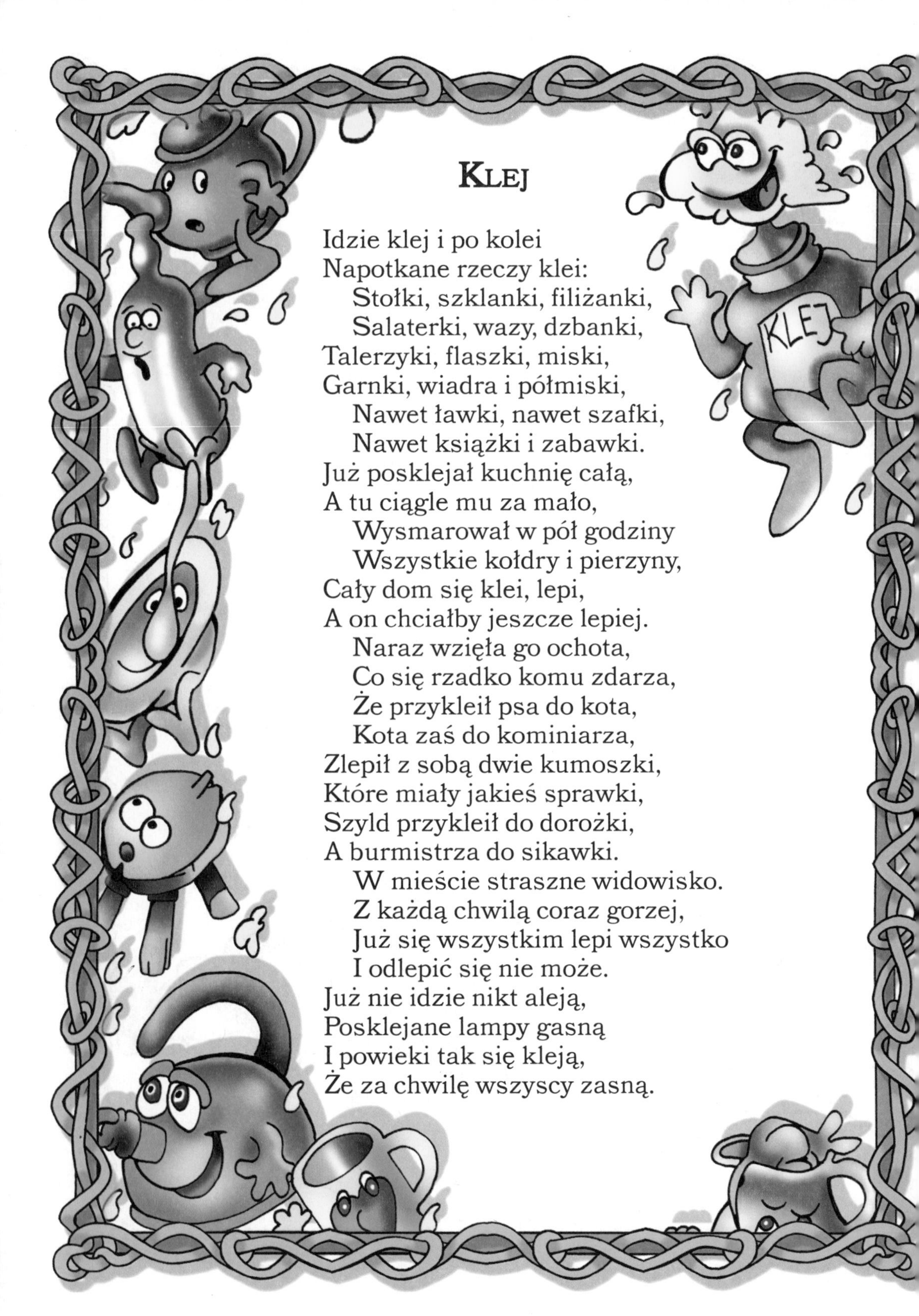

Klej

Idzie klej i po kolei
Napotkane rzeczy klei:
Stołki, szklanki, filiżanki,
Salaterki, wazy, dzbanki,
Talerzyki, flaszki, miski,
Garnki, wiadra i półmiski,
Nawet ławki, nawet szafki,
Nawet książki i zabawki.
Już posklejał kuchnię całą,
A tu ciągle mu za mało,
Wysmarował w pół godziny
Wszystkie kołdry i pierzyny,
Cały dom się klei, lepi,
A on chciałby jeszcze lepiej.
Naraz wzięła go ochota,
Co się rzadko komu zdarza,
Że przykleił psa do kota,
Kota zaś do kominiarza,
Zlepił z sobą dwie kumoszki,
Które miały jakieś sprawki,
Szyld przykleił do dorożki,
A burmistrza do sikawki.
W mieście straszne widowisko.
Z każdą chwilą coraz gorzej,
Już się wszystkim lepi wszystko
I odlepić się nie może.
Już nie idzie nikt aleją,
Posklejane lampy gasną
I powieki tak się kleją,
Że za chwilę wszyscy zasną.

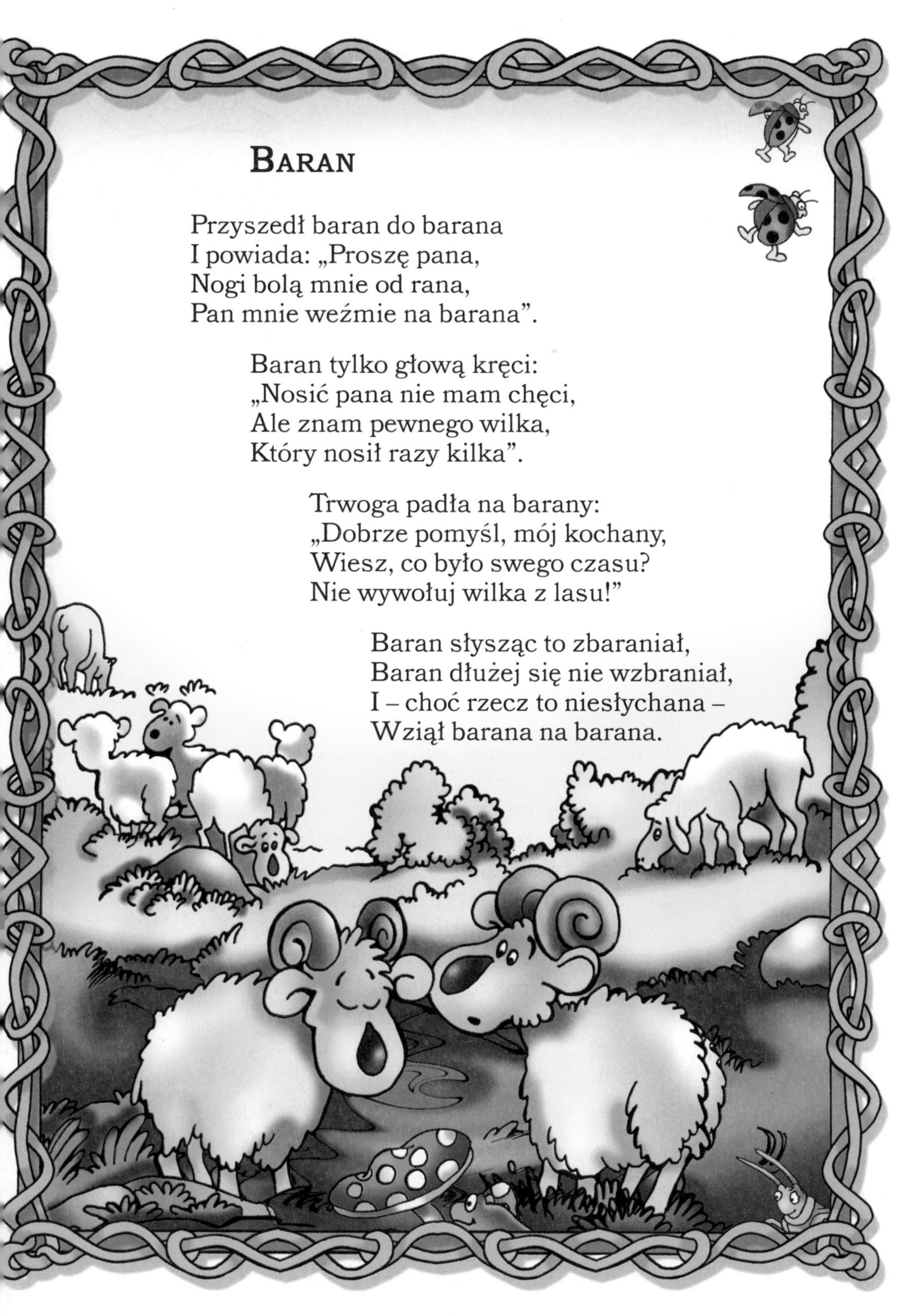

Baran

Przyszedł baran do barana
I powiada: „Proszę pana,
Nogi bolą mnie od rana,
Pan mnie weźmie na barana".

Baran tylko głową kręci:
„Nosić pana nie mam chęci,
Ale znam pewnego wilka,
Który nosił razy kilka".

Trwoga padła na barany:
„Dobrze pomyśl, mój kochany,
Wiesz, co było swego czasu?
Nie wywołuj wilka z lasu!"

Baran słysząc to zbaraniał,
Baran dłużej się nie wzbraniał,
I – choć rzecz to niesłychana –
Wziął barana na barana.

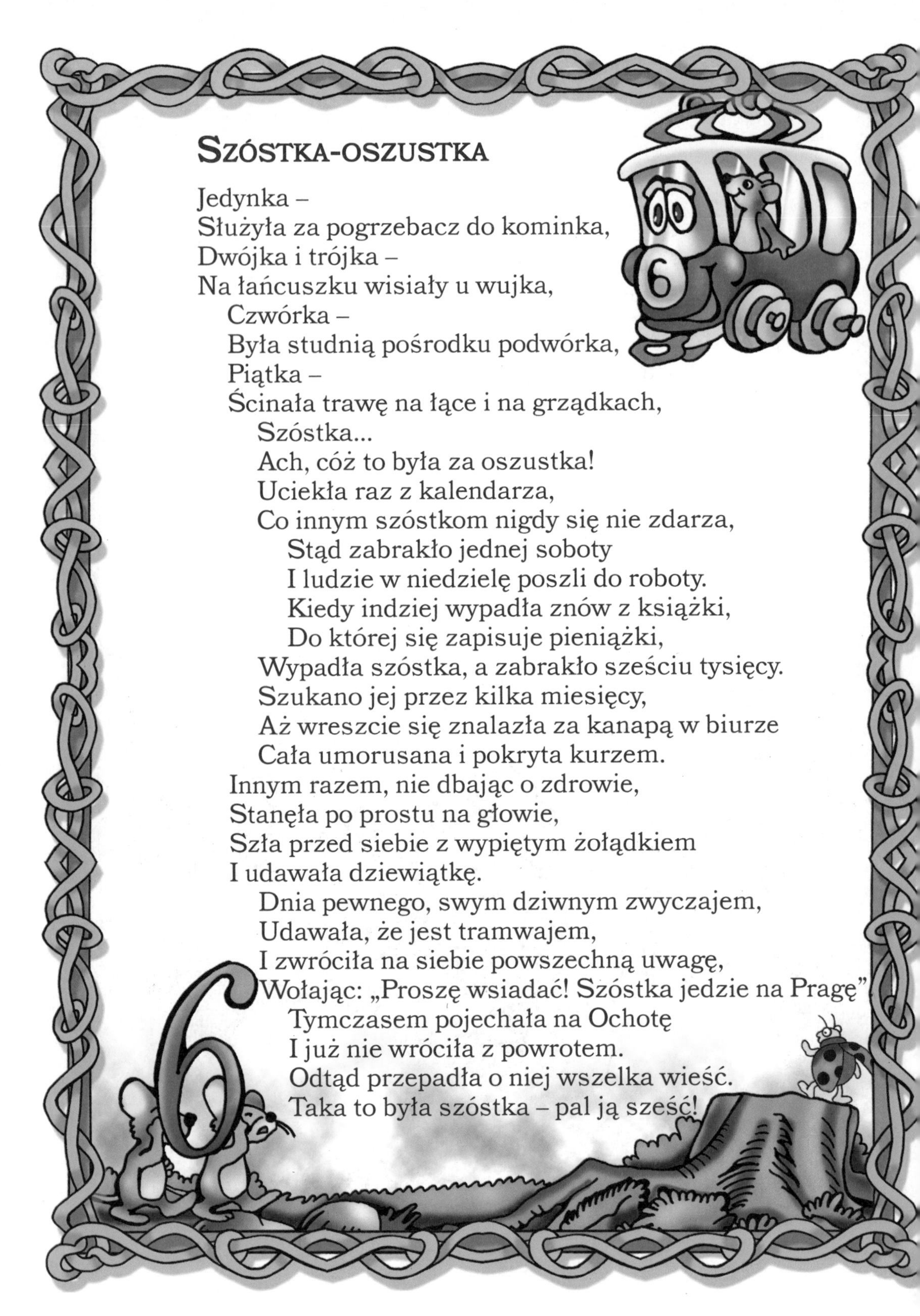

Szóstka-oszustka

Jedynka –
Służyła za pogrzebacz do kominka,
Dwójka i trójka –
Na łańcuszku wisiały u wujka,
Czwórka –
Była studnią pośrodku podwórka,
Piątka –
Ścinała trawę na łące i na grządkach,
Szóstka...
Ach, cóż to była za oszustka!
Uciekła raz z kalendarza,
Co innym szóstkom nigdy się nie zdarza,
Stąd zabrakło jednej soboty
I ludzie w niedzielę poszli do roboty.
Kiedy indziej wypadła znów z książki,
Do której się zapisuje pieniążki,
Wypadła szóstka, a zabrakło sześciu tysięcy.
Szukano jej przez kilka miesięcy,
Aż wreszcie się znalazła za kanapą w biurze
Cała umorusana i pokryta kurzem.
Innym razem, nie dbając o zdrowie,
Stanęła po prostu na głowie,
Szła przed siebie z wypiętym żołądkiem
I udawała dziewiątkę.
Dnia pewnego, swym dziwnym zwyczajem,
Udawała, że jest tramwajem,
I zwróciła na siebie powszechną uwagę,
Wołając: „Proszę wsiadać! Szóstka jedzie na Pragę”.
Tymczasem pojechała na Ochotę
I już nie wróciła z powrotem.
Odtąd przepadła o niej wszelka wieść.
Taka to była szóstka – pal ją sześć!

PO NOSIE

HIPOPOTAM

Zachwycony jej powabem
Hipopotam błagał żabę:
„Zostań żoną moją, co tam,
Jestem wprawdzie hipopotam,
Kilogramów ważę z tysiąc,
Ale za to mógłbym przysiąc,
Że wzór męża znajdziesz we mnie
I że ze mną żyć przyjemnie.
Czuję w sobie wielki zapał,
Będę ci motylki łapał
I na grzbiecie, jak w karecie,
Będę woził cię po świecie,
A gdy jazda już cię znuży,
Wrócisz znowu do kałuży.
Krótko mówiąc – twoją wolę
Zawsze chętnie zadowolę,
Każdy rozkaz spełnię ściśle.
Co ty na to?"
„Właśnie myślę,
Dobre chęci twoje cenię,
A więc – owszem. Mam życzenie..."

„Jakie, powiedz? Powiedz szybko,
Moja żabko, moja rybko,
I nie krępuj się zupełnie,
Twe życzenie każde spełnię,
Nawet całkiem niedościgłe..."

„Dobrze, proszę: nawlecz igłę!"

Pomidor

Pan pomidor wlazł na tyczkę
I przedrzeźnia ogrodniczkę.
„Jak pan może,
Panie pomidorze?!"

Oburzyło to fasolę:
„A ja panu nie pozwolę!
Jak pan może,
Panie pomidorze?!"

Groch zzieleniał aż ze złości:
„Że też nie wstyd jest waszmości,
Jak pan może,
Panie pomidorze?!"

Rzepa także go zagadnie:
„Fe! Niedobrze! Fe! Nieładnie!
Jak pan może,
Panie pomidorze?!"

Rozgniewały się warzywa:
„Pan już trochę nadużywa.
Jak pan może,
Panie pomidorze?!"

Pan pomidor, zawstydzony,
Cały zrobił się czerwony
I spadł wprost ze swojej tyczki
Do koszyczka ogrodniczki.

Grzebień i szczotka

Jurek bardzo był niedbały,
Aż się ciotki zamartwiały,
Aż ze złości ciotki chudły
„Masz nie włosy, tylko kudły,
Potargane, rozczochrane,
To są rzeczy niesłychane!
Raz się uczesz, raz przynajmniej,
Dużo czasu to nie zajmie,
Masz tu szczotkę, masz tu grzebień,
Musisz zacząć dbać o siebie".

Grzebień zęby szczerzy,
A szczotka się jeży:
„Czesz się, Jerzy, jak należy!
Czesz się, Jerzy, jak należy!"

Poszedł Jurek raz przy święcie
Do kolegi na przyjęcie,
Oczywiście – nieczesany,
Potargany, rozczochrany.
Dzwoni – chciałby wejść do środka –
Patrzy: grzebień, patrzy: szczotka!

Grzebień zęby szczerzy,
A szczotka się jeży:
„Czesz się, Jerzy, jak należy,
Czesz się, Jerzy, jak należy!"

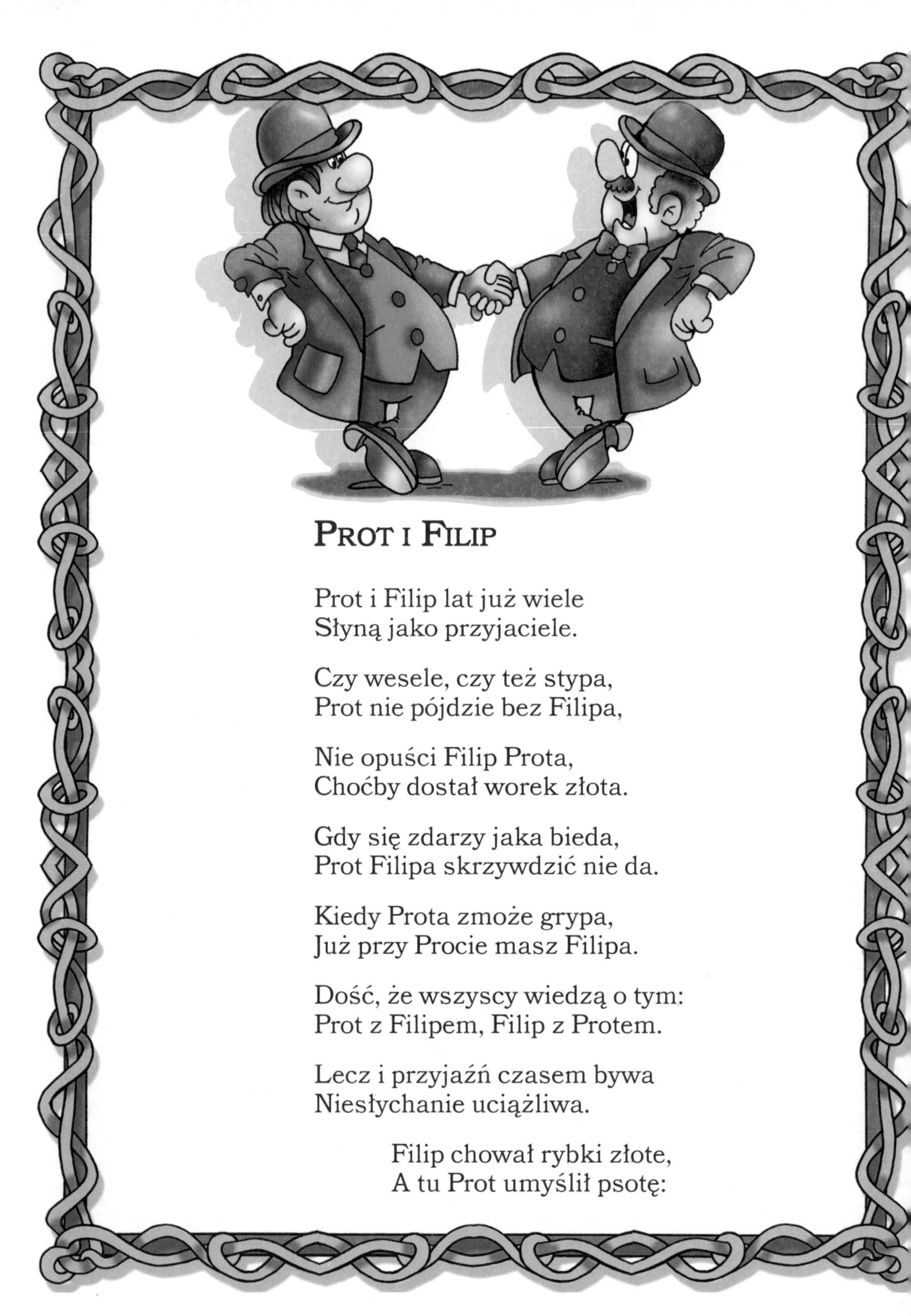

Prot i Filip

Prot i Filip lat już wiele
Słyną jako przyjaciele.

Czy wesele, czy też stypa,
Prot nie pójdzie bez Filipa,

Nie opuści Filip Prota,
Choćby dostał worek złota.

Gdy się zdarzy jaka bieda,
Prot Filipa skrzywdzić nie da.

Kiedy Prota zmoże grypa,
Już przy Procie masz Filipa.

Dość, że wszyscy wiedzą o tym:
Prot z Filipem, Filip z Protem.

Lecz i przyjaźń czasem bywa
Niesłychanie uciążliwa.

Filip chował rybki złote,
A tu Prot umyślił psotę:

Wziął i wszystkie zjadł w potrawce.
Filip, zły, chce znaleźć sprawcę,

Caluteńki dom przetrząsa,
A Prot śmieje się spod wąsa:

„Ach, Filipie, ach, Filipie,
Trzeba znać się na dowcipie!"

Raz gotował Filip flaki,
A Prot wpadł na pomysł taki,

Że podrzucił mu do garnka
Stary kalosz. Filip sarka,

Obwąchuje całą kuchnię,
A tu obiad gumą cuchnie.

Filip wzdycha i narzeka,
A Prot woła już z daleka:

„Ach, Filipie, ach, Filipie,
Trzeba znać się na dowcipie!"

Filip dostał raz po dziadku
Pozłacany fotel w spadku,

Mówił tedy wszystkim dumnie:
„To najlepszy mebel u mnie".

Prota nudził spokój błogi,
Więc w fotelu podciął nogi,

Potem rzecze: „Przyjacielu,
Usiądź sobie w tym fotelu".

Filip usiadł, a tu właśnie
Fotel pod nim jak nie trzaśnie,

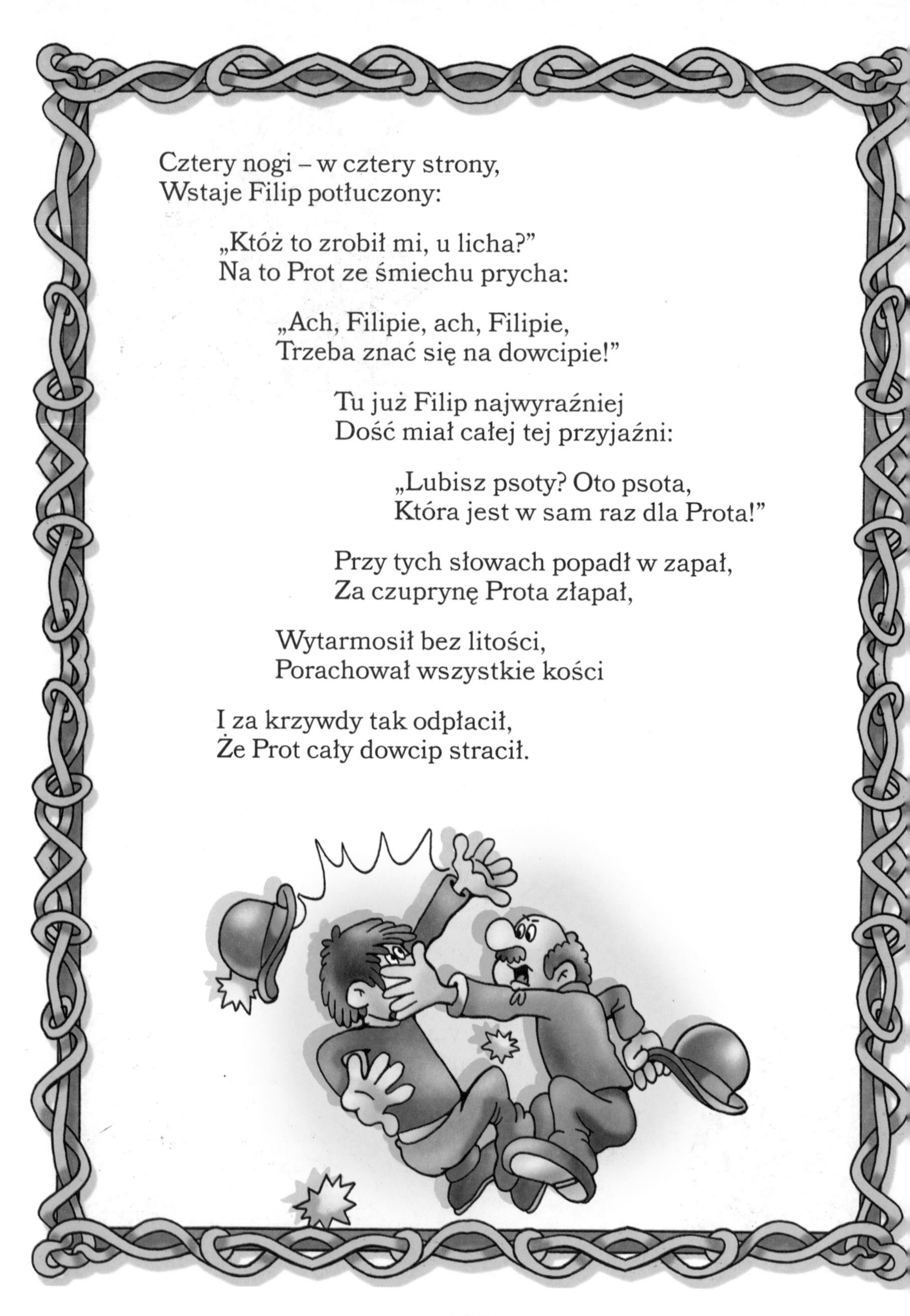

Cztery nogi – w cztery strony,
Wstaje Filip potłuczony:

„Któż to zrobił mi, u licha?"
Na to Prot ze śmiechu prycha:

„Ach, Filipie, ach, Filipie,
Trzeba znać się na dowcipie!"

Tu już Filip najwyraźniej
Dość miał całej tej przyjaźni:

„Lubisz psoty? Oto psota,
Która jest w sam raz dla Prota!"

Przy tych słowach popadł w zapał,
Za czupryne Prota złapał,

Wytarmosił bez litości,
Porachował wszystkie kości

I za krzywdy tak odpłacił,
Że Prot cały dowcip stracił.

Znaki przestankowe

Prowadziły raz rozmowę
Różne znaki przestankowe.
Rzekł dwukropek: „Mógłbym przysiąc,
Że tu jest dwukropków z tysiąc,
Bo beze mnie nie ma zdania...”
„A bez znaku zapytania?...”
„Też pomysły – rzekł cudzysłów. –
Śmiać się można z tych pomysłów,
Bo kto czytał różne wiersze,
Wie, że mam w nich miejsce pierwsze.”
„O, przepraszam – rzekł przecinek –
Mógłbym wziąć to za przycinek,
Bez przecinka nie ma zdania...”
„A bez znaku zapytania?...”
„Niezły komik, niezły zbytnik! –
Zirytował się wykrzyknik. –
Nie chcę chwalić się przed nikim,
Ale jestem wykrzyknikiem!”
Myślnik leżąc myślał smutnie,
A tu średnik wdał się w kłótnię:
„Jak ze wszystkich zdań wynika,
Nie ma wiersza bez średnika,
Bez średnika nie ma zdania...”
„A bez znaku zapytania?...”
Kropka słysząc te hałasy
Sprowadziła dwa nawiasy:
„Cni panowie, zacne panie,
Zamykamy całe zdanie!
Koniec! Kropka! Odpoczynek!”
„Znów przycinek!” –
Rzekł przecinek.

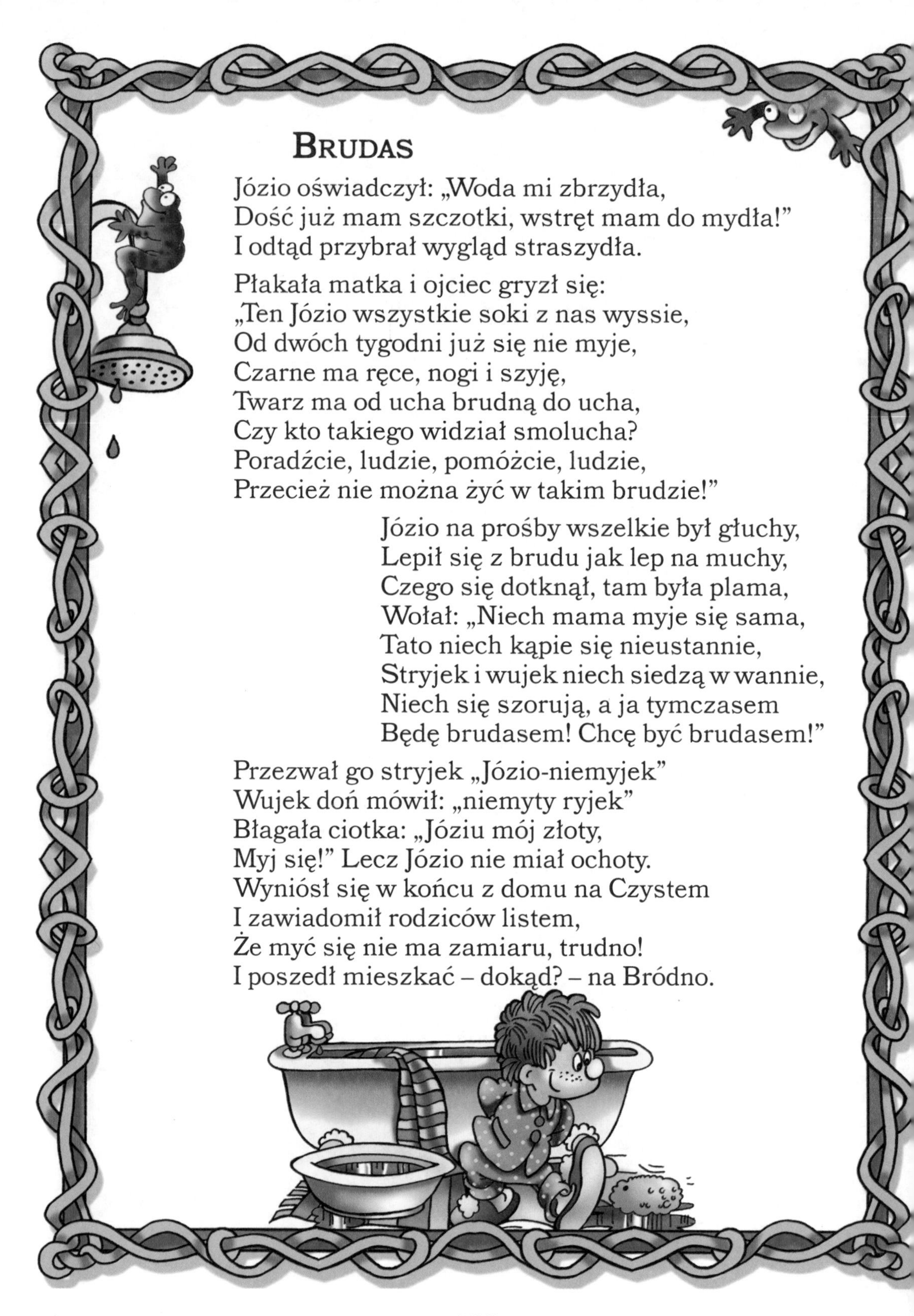

Brudas

Józio oświadczył: „Woda mi zbrzydła,
Dość już mam szczotki, wstręt mam do mydła!"
I odtąd przybrał wygląd straszydła.

Płakała matka i ojciec gryzł się:
„Ten Józio wszystkie soki z nas wyssie,
Od dwóch tygodni już się nie myje,
Czarne ma ręce, nogi i szyję,
Twarz ma od ucha brudną do ucha,
Czy kto takiego widział smolucha?
Poradźcie, ludzie, pomóżcie, ludzie,
Przecież nie można żyć w takim brudzie!"

Józio na prośby wszelkie był głuchy,
Lepił się z brudu jak lep na muchy,
Czego się dotknął, tam była plama,
Wołał: „Niech mama myje się sama,
Tato niech kąpie się nieustannie,
Stryjek i wujek niech siedzą w wannie,
Niech się szorują, a ja tymczasem
Będę brudasem! Chcę być brudasem!"

Przezwał go stryjek „Józio-niemyjek"
Wujek doń mówił: „niemyty ryjek"
Błagała ciotka: „Józiu mój złoty,
Myj się!" Lecz Józio nie miał ochoty.
Wyniósł się w końcu z domu na Czystem
I zawiadomił rodziców listem,
Że myć się nie ma zamiaru, trudno!
I poszedł mieszkać – dokąd? – na Bródno.

Koziołeczek

Posłał kozioł koziołeczka
Po bułeczki do miasteczka.

Koziołeczek ruszył w drogę,
Wtem się natknął na stonogę.

Zadrżał z trwogi, no i w nogi,
Gaik, steczka, mostek, rzeczka,
A tam czekał ojciec srogi
I ukarał koziołeczka:

„Taki tchórz! Taki tchórz!
Ledwo wyszedł, wrócił już!
Ładne rzeczy! Ładne rzeczy!”

A koziołek tylko beczy:
„Jak nie uciec, ojcze drogi?

Przecież sam rozumiesz to:
Ja mam tylko cztery nogi,
A stonoga ma ich sto!”

Posłał kozioł koziołeczka
Do miasteczka po ciasteczka.

Koziołeczek mknie raz-dwa-trzy.
Nagle staje, nagle patrzy:

Chustka wisi na parkanie...
Koziołeczek tedy w nogi
I znów dostał w domu lanie,
Bo był ojciec bardzo srogi:

„Taki tchórz! Taki tchórz!
Ledwo wyszedł, wrócił już!
Ładne rzeczy! Ładne rzeczy!”

A koziołek tylko beczy:
„Jak nie uciec, ojcze drogi,
Czyż jest słuszna kara twa?
Chustka ma wszak cztery rogi,
A ja mam zaledwie dwa!”

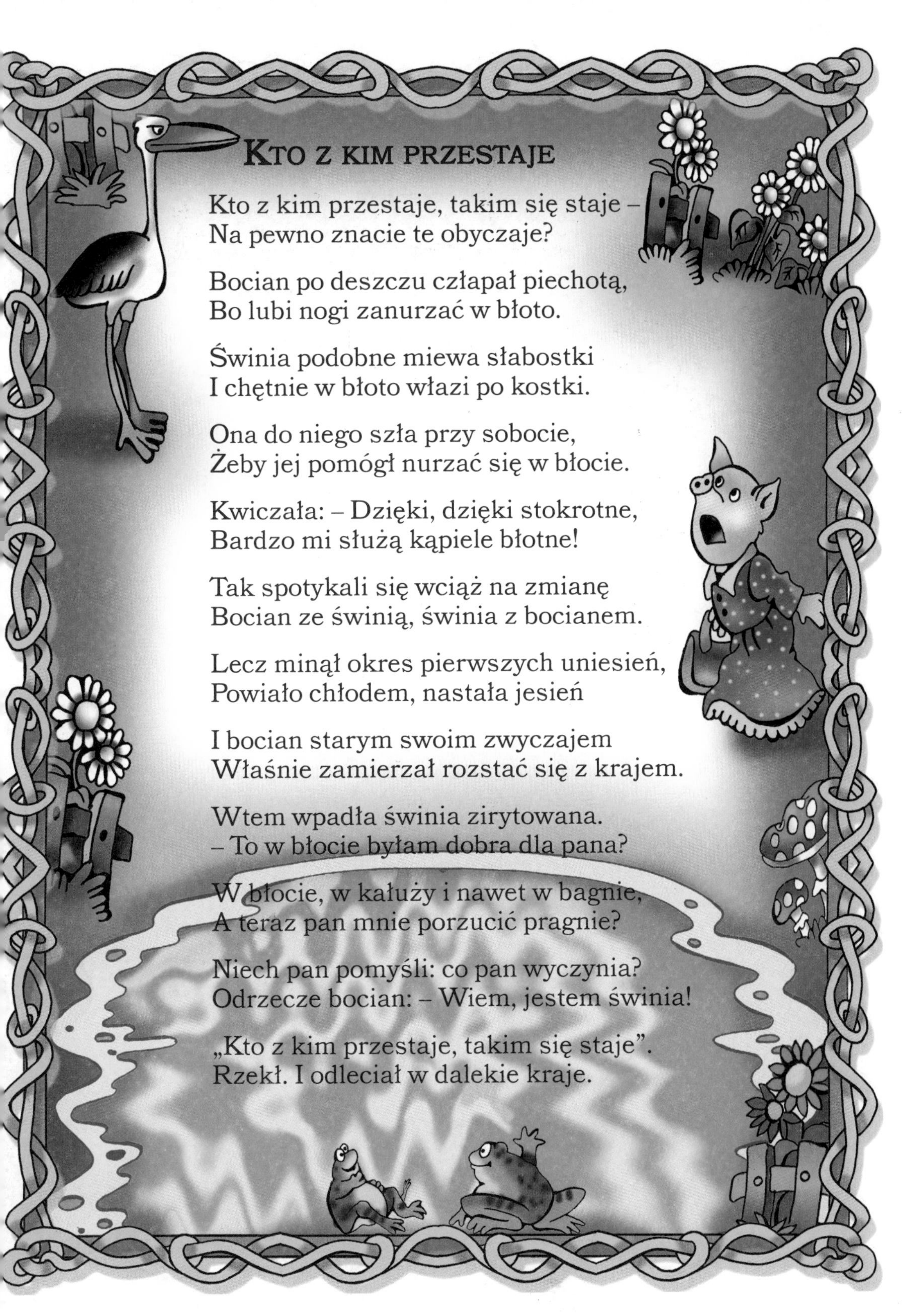

Kto z kim przestaje

Kto z kim przestaje, takim się staje –
Na pewno znacie te obyczaje?

Bocian po deszczu człapał piechotą,
Bo lubi nogi zanurzać w błoto.

Świnia podobne miewa słabostki
I chętnie w błoto włazi po kostki.

Ona do niego szła przy sobocie,
Żeby jej pomógł nurzać się w błocie.

Kwiczała: – Dzięki, dzięki stokrotne,
Bardzo mi służą kąpiele błotne!

Tak spotykali się wciąż na zmianę
Bocian ze świnią, świnia z bocianem.

Lecz minął okres pierwszych uniesień,
Powiało chłodem, nastała jesień

I bocian starym swoim zwyczajem
Właśnie zamierzał rozstać się z krajem.

Wtem wpadła świnia zirytowana.
– To w błocie byłam dobra dla pana?

W błocie, w kałuży i nawet w bagnie,
A teraz pan mnie porzucić pragnie?

Niech pan pomyśli: co pan wyczynia?
Odrzecze bocian: – Wiem, jestem świnia!

„Kto z kim przestaje, takim się staje".
Rzekł. I odleciał w dalekie kraje.

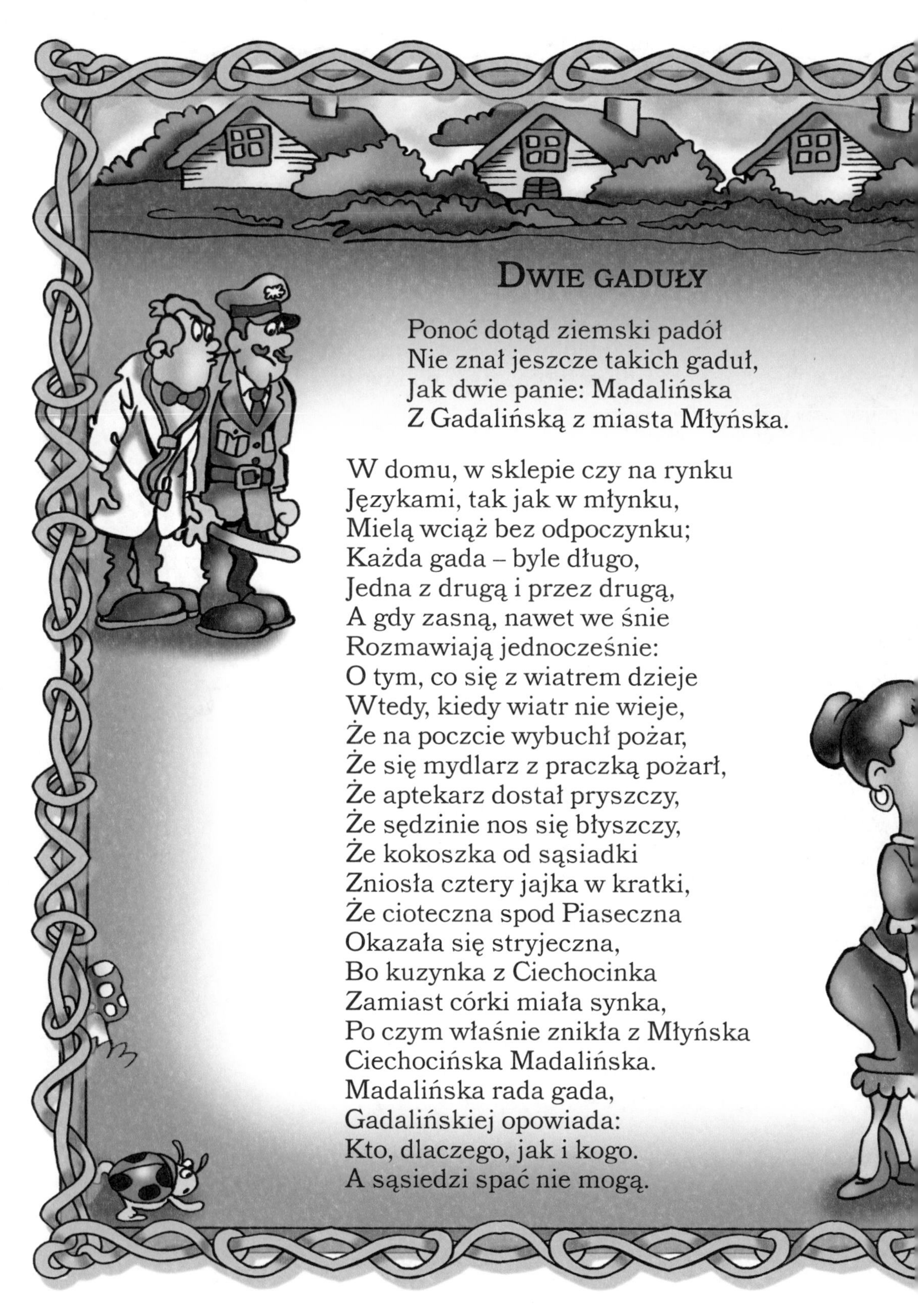

DWIE GADUŁY

Ponoć dotąd ziemski padół
Nie znał jeszcze takich gaduł,
Jak dwie panie: Madalińska
Z Gadalińską z miasta Młyńska.

W domu, w sklepie czy na rynku
Językami, tak jak w młynku,
Mielą wciąż bez odpoczynku;
Każda gada – byle długo,
Jedna z drugą i przez drugą,
A gdy zasną, nawet we śnie
Rozmawiają jednocześnie:
O tym, co się z wiatrem dzieje
Wtedy, kiedy wiatr nie wieje,
Że na poczcie wybuchł pożar,
Że się mydlarz z praczką pożarł,
Że aptekarz dostał pryszczy,
Że sędzinie nos się błyszczy,
Że kokoszka od sąsiadki
Zniosła cztery jajka w kratki,
Że cioteczna spod Piaseczna
Okazała się stryjeczna,
Bo kuzynka z Ciechocinka
Zamiast córki miała synka,
Po czym właśnie znikła z Młyńska
Ciechocińska Madalińska.
Madalińska rada gada,
Gadalińskiej opowiada:
Kto, dlaczego, jak i kogo.
A sąsiedzi spać nie mogą.

Krzyczy piekarz: „Moje panie,
Czas już skończyć to gadanie!”
Doktor także lubi ciszę,
Do milicji skargę pisze.

Przyszła władza, jak to władza,
Upomina i doradza:
„Dość już, pani Madalińska,
Dość już, pani Gadalińska,
Bo wyjadą panie z Młyńska!”

Lecz to dla nich rzecz nienowa,
Niechaj wobec nich się schowa
Cała Rada Narodowa.

Gadalińska rada gada,
Madalińskiej opowiada:
„Mówią w maglu, moja pani,
Że na wiosnę będzie taniej,
A po drugie, że już w lecie
Będzie wojna, a po trzecie,
Że się wszystko jeszcze zmieni,
Jak śnieg spadnie na jesieni”.

Tak już siedem lat bez przerwy
Wszystkim w mieście szarpią nerwy
Dwie plotkarki: Gadalińska
Z Madalińską z miasta Młyńska.

Michałek

Był leń, co zwał się Michałek.
Nie robił nic w poniedziałek.

Spać poszedł, a wstał we wtorek
Dopiero na podwieczorek.

Zaczekał, aż przyszła środa,
Lecz czasu było mu szkoda.

Do książki zabrał się w czwartek,
Lecz nawet nie rozciął kartek.

Pomyślał: „Jutro jest piątek,
Więc w piątek zrobię początek".

A w piątek rzekł: – „Na sobotę
Odłożę raczej robotę".

Przyszła sobota. – „W niedzielę
Odpocznę wpierw mało-wiele,

A za to już w poniedziałek
Odrobię cały kawałek".

We wtorek rzekł: – „Źle się czuję..."
A w środę dostał dwie dwóje.

Do domu wrócił Michałek,
Przygładził smętnie przedziałek,

I w ojca wlepiwszy ślepia,
Rzekł: – „Nauczyciel się czepia".

SAMOCHWAŁA

Samochwała w kącie stała
I wciąż tak opowiadała:

„Zdolna jestem niesłychanie,
Najpiękniejsze mam ubranie,
Moja buzia tryska zdrowiem,
Jak coś powiem, to już powiem,
Jak odpowiem, to roztropnie,
W szkole mam najlepsze stopnie,
Śpiewam lepiej niż w operze,
Świetnie jeżdżę na rowerze,
Znakomicie muchy łapię,
Wiem, gdzie Wisła jest na mapie,
Jestem mądra, jestem zgrabna,
Wiotka, słodka i powabna,
A w dodatku, daję słowo,
Mam rodzinę wyjątkową:
Tato mój do pieca sięga,
Moja mama – taka tęga,
Moja siostra – taka mała,
A ja jestem – samochwała!”

KŁAMCZUCHA

„Proszę pana, proszę pana,
Zaszła u nas wielka zmiana:
Moja starsza siostra Bronka
Zamieniła się w skowronka,
Siedzi cały dzień na buku
I powtarza «kuku, kuku».”
„Pomyśl tylko, co ty pleciesz!
To zwyczajne kłamstwo przecież.”
„Proszę pana, proszę pana,
Rzecz się stała niesłychana:
Zamiast deszczu u sąsiada
Dziś padała oranżada,
I w dodatku całkiem sucha.”
„Fe, nieładnie! Fe, kłamczucha!”
„To nie wszystko, proszę pana!
U stryjenki wczoraj z rana
Abecadło z pieca spadło,
Całą pieczeń z rondla zjadło,
A tymczasem na obiedzie
Miał być lew i dwa niedźwiedzie.”
„To dopiero jest kłamczucha!”
„Proszę pana, niech pan słucha!
Po południu na zabawie
Utonęła kaczka w stawie.
Pan nie wierzy? Daję słowo!
Sprowadzono straż ogniową,
Przecedzono wodę sitem,
A co ryb złowiono przy tym!”
„Fe, nieładnie! Któż tak kłamiesz
Zaraz się poskarżę mamie!”

Skarżypyta

„Piotruś nie był dzisiaj w szkole,
Antek zrobił dziurę w stole,
Wanda obrus poplamiła,
Zosia szyi nie umyła,
Jurek zgubił klucz, a Wacek
Zjadł ze stołu cały placek."

„Któż się ciebie o to pyta?"
„Nikt. Ja jestem skarżypyta."

Arbuz

W owocarni arbuz leży
I złośliwie pestki szczerzy,
Tu przygani, tam zaczepi.
„Już byś przestał gadać lepiej,
Zamknij buzię,
Arbuzie!"
Ale arbuz jest uparty,
Dalej stroi sobie żarty
I tak rzecze do moreli:
„Jeszcześmy się nie widzieli,
Pani skąd jest?"
„Jestem Serbka..."
„Chociaż Serbka, ale cierpka!"
Wszystkich drażnią jego drwiny,
A on mówi do cytryny:
„Pani skąd jest?"
„Jestem Włoszka..."
„Chociaż Włoszka, ale gorzka!"
Gwałt się podniósł na wystawie:
„To zuchwalstwo! To bezprawie!
Zamknij buzię,
Arbuzie!"
Lecz on za nic ma owoce,
Szczerzy pestki i chichoce.
Melon dość już miał arbuza,
Krzyknął: „Głupiś! Szukasz guza!
Będziesz miał za swoje sprawki!"
Runął wprost na niego z szafki,
Potem stoczył go za ladę
I tam zbił na marmoladę.

Rozmawiała gęś z prosięciem

Rozmawiała gęś z prosięciem
Bardzo głośno i z przejęciem:
„Smutno samej żyć na świecie,
A po drugie i po trzecie –
Jeśli cenisz wdzięki gęsie,
Jak najprędzej ze mną żeń się”.
Prosię na to: „Miła gąsko,
Głowę nieco masz za wąską,
Trochę masz za długą szyję
I zupełnie inny ryjek.
Niechaj ciebie to nie rani,
Lecz jesteśmy niedobrani”.
A gęś znowu: „Cóż, mój drogi,
Popatrz, ty masz cztery nogi,
Nie masz pierza, nie masz dzioba,
Ale mnie się to podoba”.

Prosiak skłonił się uprzejmie:
„Inny tak się tym nie przejmie,

A ja – owszem. Bo zauważ,
Że ja chodzę, a ty fruwasz,

Jak dogonić zdołam ciebie,
Gdy szybować będziesz w niebie?”

Na to gęś odpowie znowu:
„Domowego jestem chowu,

Fruwam raz na sześć miesięcy,
Żeby nie tyć, i nic więcej”.

Na to prosię znów odpowie:
„Muszę dbać o swoje zdrowie,

Ty się kąpiesz nieustannie,
Ty byś chciała mieszkać w wannie,

Ja zaś – jeśli chodzi o to –
Właśnie bardzo lubię błoto”.

Tutaj gęś już miała dosyć:
„Nie zamierzam ciebie prosić...”

I dodała z żalem w głosie:
„Teraz wiem, że jesteś prosię”.

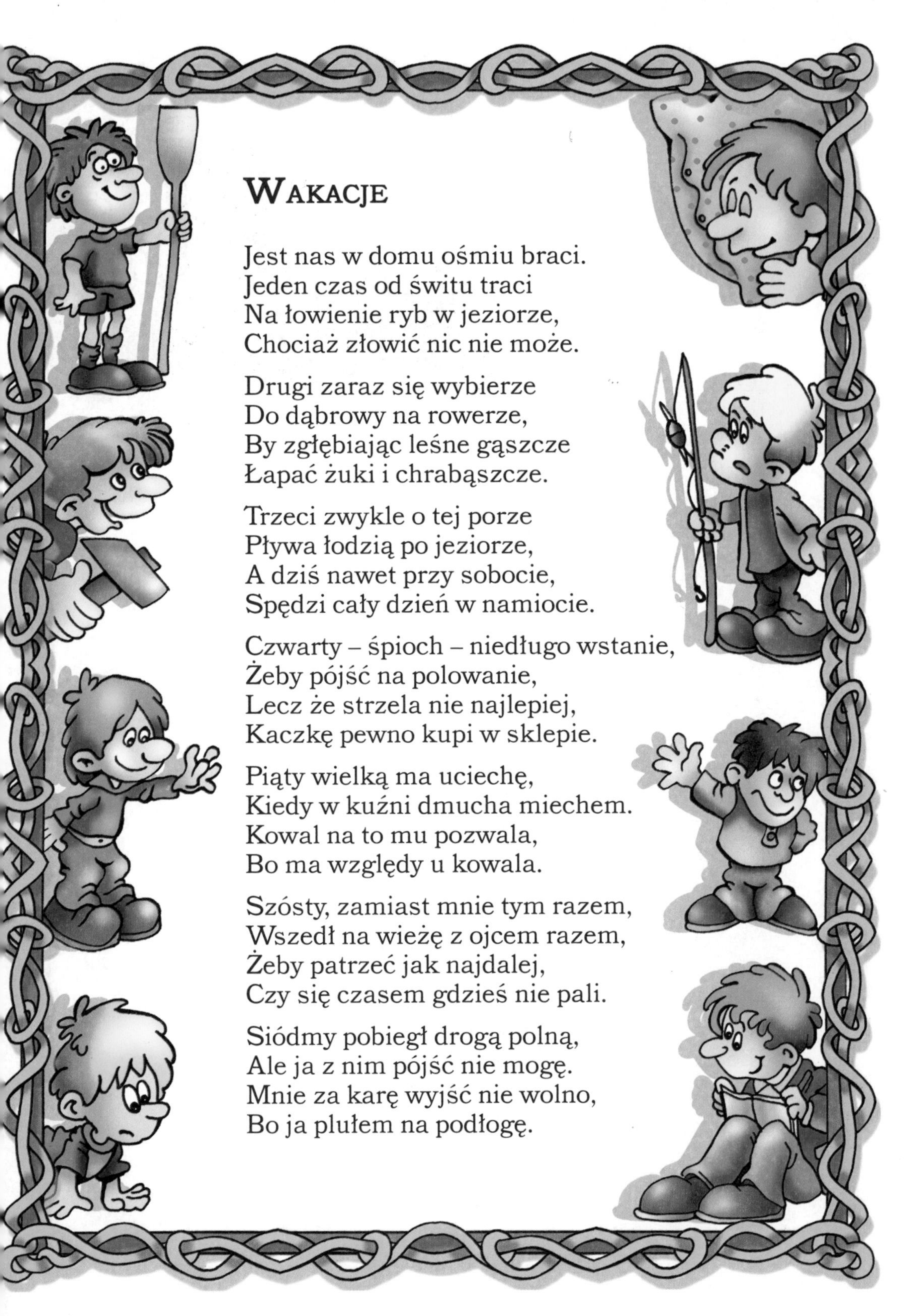

Wakacje

Jest nas w domu ośmiu braci.
Jeden czas od świtu traci
Na łowienie ryb w jeziorze,
Chociaż złowić nic nie może.

Drugi zaraz się wybierze
Do dąbrowy na rowerze,
By zgłębiając leśne gąszcze
Łapać żuki i chrabąszcze.

Trzeci zwykle o tej porze
Pływa łodzią po jeziorze,
A dziś nawet przy sobocie,
Spędzi cały dzień w namiocie.

Czwarty – śpioch – niedługo wstanie,
Żeby pójść na polowanie,
Lecz że strzela nie najlepiej,
Kaczkę pewno kupi w sklepie.

Piąty wielką ma uciechę,
Kiedy w kuźni dmucha miechem.
Kowal na to mu pozwala,
Bo ma względy u kowala.

Szósty, zamiast mnie tym razem,
Wszedł na wieżę z ojcem razem,
Żeby patrzeć jak najdalej,
Czy się czasem gdzieś nie pali.

Siódmy pobiegł drogą polną,
Ale ja z nim pójść nie mogę.
Mnie za karę wyjść nie wolno,
Bo ja plułem na podłogę.

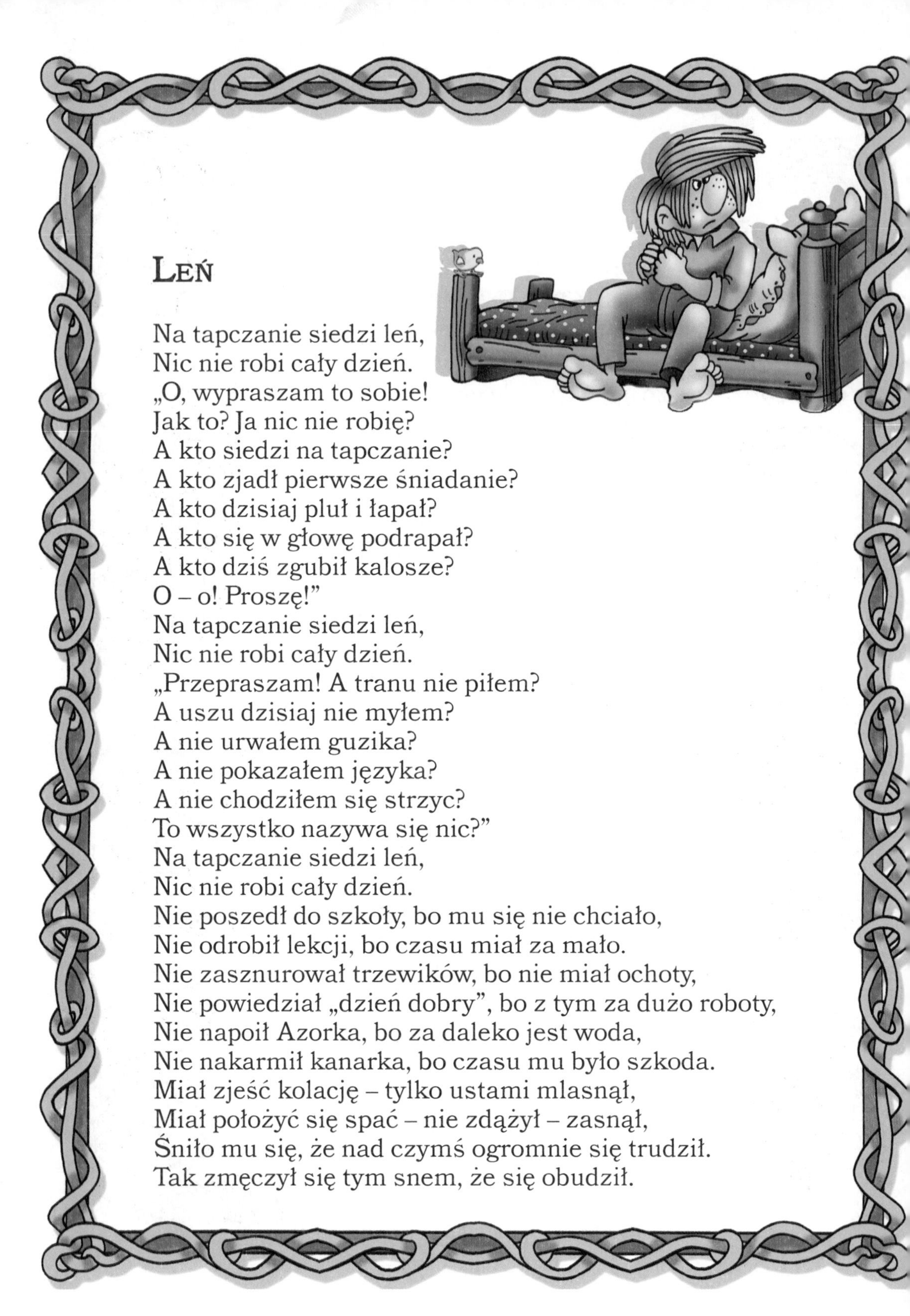

Leń

Na tapczanie siedzi leń,
Nic nie robi cały dzień.
„O, wypraszam to sobie!
Jak to? Ja nic nie robię?
A kto siedzi na tapczanie?
A kto zjadł pierwsze śniadanie?
A kto dzisiaj pluł i łapał?
A kto się w głowę podrapał?
A kto dziś zgubił kalosze?
O – o! Proszę!”
Na tapczanie siedzi leń,
Nic nie robi cały dzień.
„Przepraszam! A tranu nie piłem?
A uszu dzisiaj nie myłem?
A nie urwałem guzika?
A nie pokazałem języka?
A nie chodziłem się strzyc?
To wszystko nazywa się nic?”
Na tapczanie siedzi leń,
Nic nie robi cały dzień.
Nie poszedł do szkoły, bo mu się nie chciało,
Nie odrobił lekcji, bo czasu miał za mało.
Nie zasznurował trzewików, bo nie miał ochoty,
Nie powiedział „dzień dobry”, bo z tym za dużo roboty,
Nie napoił Azorka, bo za daleko jest woda,
Nie nakarmił kanarka, bo czasu mu było szkoda.
Miał zjeść kolację – tylko ustami mlasnął,
Miał położyć się spać – nie zdążył – zasnął,
Śniło mu się, że nad czymś ogromnie się trudził.
Tak zmęczył się tym snem, że się obudził.

WYSSANE Z PALCA

Grzyby

Król Borowik Prawdziwy szedł lasem
Postukując swym jedynym obcasem,
A ze złości brunatny był cały,
Bo go muchy okrutnie kąsały.
Tedy siadł uroczyście pod dębem
I rozkazał na alarm bić w bęben:

„Hej, grzyby, grzyby,
Przybywajcie do mojej siedziby,
Przybywajcie orężnymi pułkami.
Wyruszamy na wojnę z muchami!"

Odezwały się pierwsze opieńki:
„Opieniek jest maleńki,
A tam trzeba skakać na sążeń,
Gdzie nam, królu, do takich dążeń?!"

Załkały serowiatki:
„My mamy maleńkie dziatki,
Wolimy życie spokojne,
Inne grzyby prowadź na wojnę".

Zaszemrały modraczki:
„Mamy całkiem zniszczone fraczki,
Mamy buty wśród grzybów najstarsze,
Nie dla nas wojenne marsze".

Zastękały czubajki:
„Wpierw musimy wypalić fajki,
Wypalimy je, królu, do zimy,
W zimie z tobą na wojnę ruszymy".

A król siedzi niezmiennie pod dębem,
Każe znowu na alarm bić w bęben:
„Przybywajcie, pieczarki, maślaki,
Trufle, gąski, purchawki, koźlaki,
Bedłki, rydze, bielaki i smardze,
Przybywajcie, bo tchórzami pogardzę!"

Ledwo rzekł to, wtem patrzy, a z boru
Maszeruje pułk muchomorów:
„Przychodzimy z muchami wojować,
Ty nas, królu, na wojnę prowadź!"

Wojowały grzybowe zuchy,
Pokonały aż cztery muchy,
Król Borowik winszował im szczerze
I dał wszystkim po grzybowym orderze.

Sól

– Mam dla pana bajkę.
– Nową?
– Całkiem nową, daję słowo.

Był raz sobie pewien król.
Król pieniędzy dużo zebrał
I powiedział: – Kupię sól,
Nie chcę złota ani srebra.

Cóż jest zimny metal wart?
Ja chcę ulżyć ludzkiej doli.
Proszę państwa, to nie żart,
Kupię soli, dużo soli.

Sól zastąpić może śnieg,
Sól do potraw ludziom służy,
Kupię soli, jakem rzekł,
I nie będę zwlekał dłużej.

Wnet się zaczął soli skup
Nie widziany od tej pory,
Sprowadzono z solnych żup
Pełne wory do komory.

Obok wora stanął wór
I wciąż nowe przywożono,
Przywożono z dolin, z gór,
Choć za sól płacono słono.

Kiedy był już pełny skład,
A król zasiadł do obiadu,
Nagle deszcz ulewny spadł,
Woda wdarła się do składu.

Rozpuściła całą sól
I do morza odpłynęła.
Długo płakał stary król
Nad zagładą swego dzieła.

Strumień słonych jego łez
Pochłonęła woda słona –
I tu był królestwa kres.
I tu bajka już skończona.

– O, przepraszam! Pan pozwoli...
Przecież brak tej bajce soli!

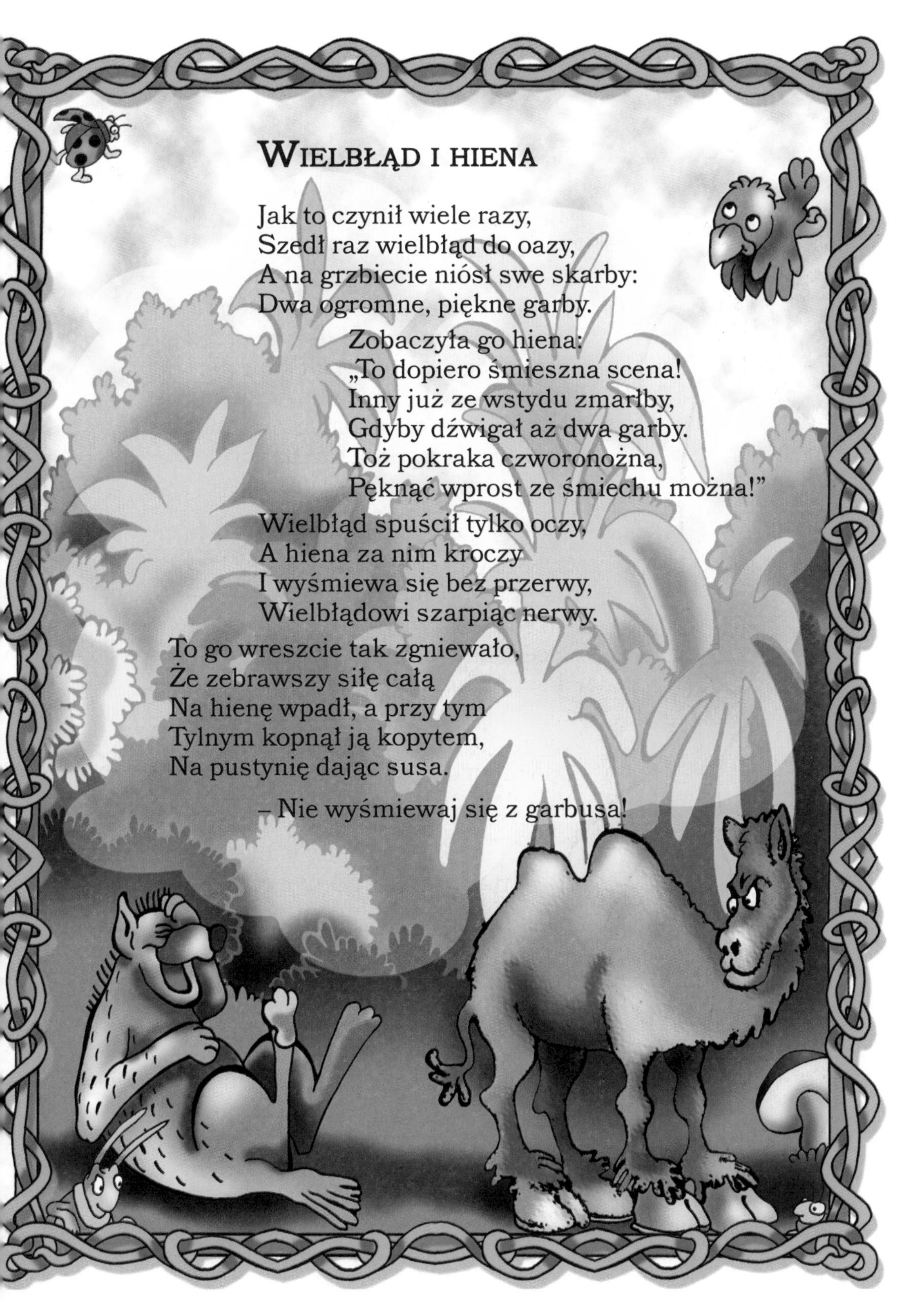

WIELBŁĄD I HIENA

Jak to czynił wiele razy,
Szedł raz wielbłąd do oazy,
A na grzbiecie niósł swe skarby:
Dwa ogromne, piękne garby.

Zobaczyła go hiena:
„To dopiero śmieszna scena!
Inny już ze wstydu zmarłby,
Gdyby dźwigał aż dwa garby.
Toż pokraka czworonożna,
Pęknąć wprost ze śmiechu można!”

Wielbłąd spuścił tylko oczy,
A hiena za nim kroczy
I wyśmiewa się bez przerwy,
Wielbłądowi szarpiąc nerwy.

To go wreszcie tak zgniewało,
Że zebrawszy siłę całą
Na hienę wpadł, a przy tym
Tylnym kopnął ją kopytem,
Na pustynię dając susa.

– Nie wyśmiewaj się z garbusa!

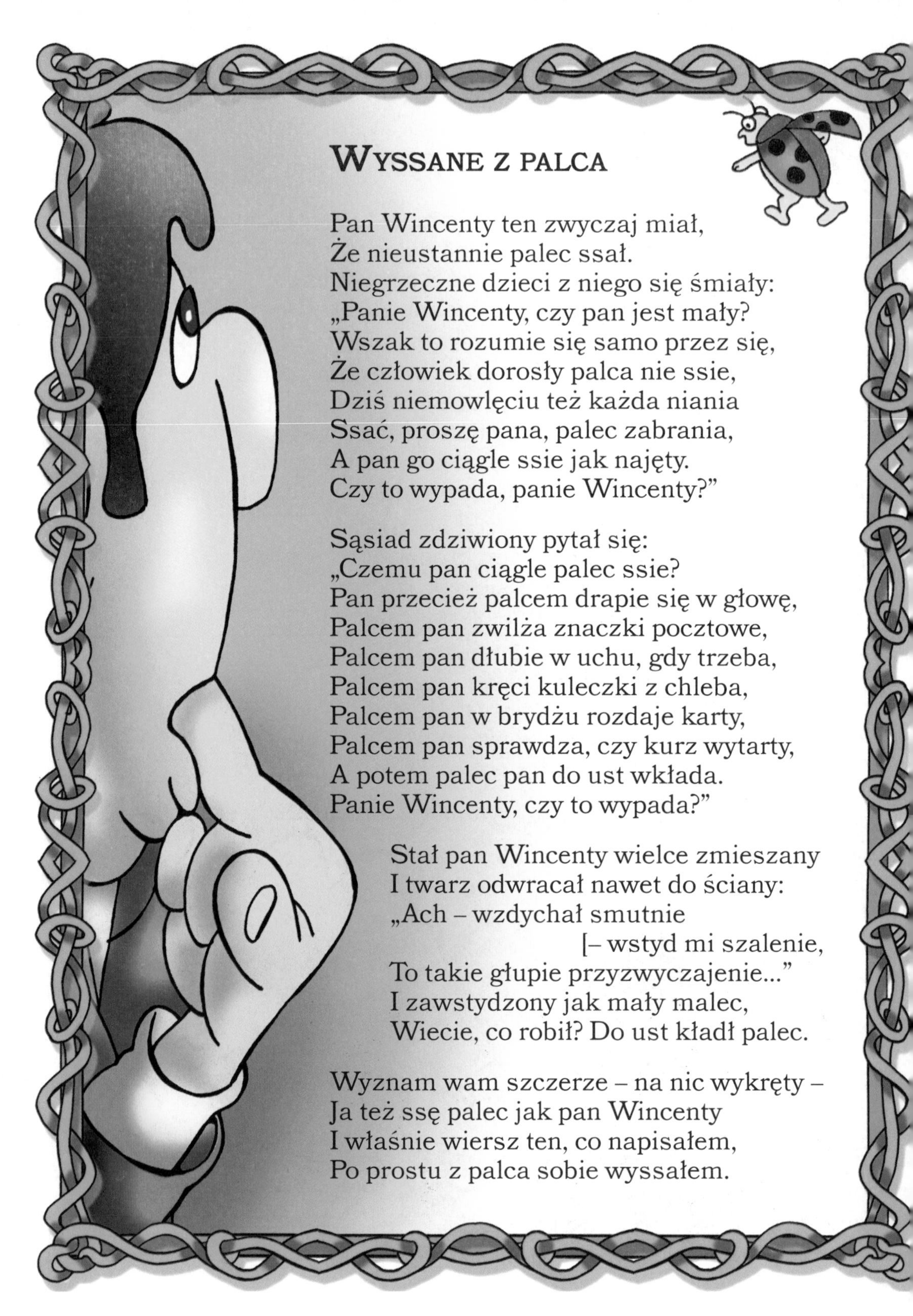

Wyssane z palca

Pan Wincenty ten zwyczaj miał,
Że nieustannie palec ssał.
Niegrzeczne dzieci z niego się śmiały:
„Panie Wincenty, czy pan jest mały?
Wszak to rozumie się samo przez się,
Że człowiek dorosły palca nie ssie,
Dziś niemowlęciu też każda niania
Ssać, proszę pana, palec zabrania,
A pan go ciągle ssie jak najęty.
Czy to wypada, panie Wincenty?"

Sąsiad zdziwiony pytał się:
„Czemu pan ciągle palec ssie?
Pan przecież palcem drapie się w głowę,
Palcem pan zwilża znaczki pocztowe,
Palcem pan dłubie w uchu, gdy trzeba,
Palcem pan kręci kuleczki z chleba,
Palcem pan w brydżu rozdaje karty,
Palcem pan sprawdza, czy kurz wytarty,
A potem palec pan do ust wkłada.
Panie Wincenty, czy to wypada?"

Stał pan Wincenty wielce zmieszany
I twarz odwracał nawet do ściany:
„Ach – wzdychał smutnie
[– wstyd mi szalenie,
To takie głupie przyzwyczajenie..."
I zawstydzony jak mały malec,
Wiecie, co robił? Do ust kładł palec.

Wyznam wam szczerze – na nic wykręty –
Ja też ssę palec jak pan Wincenty
I właśnie wiersz ten, co napisałem,
Po prostu z palca sobie wyssałem.

GLOBUS

W szkole
Na stole
Stał globus –
Wielkości arbuza,
Aż tu naraz jakiś łobuz
Nabił mu guza.
Z tego wynikła
Historia całkiem niezwykła:

Siedlce wpadły do Krakowa,
Kraków zmienił się w jezioro,
Nowy Targ za San się schował,
A San urósł w górę sporą.
Tatry, nagle wywrócone,
Okazały się w dolinie,
Wieprz popłynął w inną stronę
I zawadził aż o Gdynię.

Tam gdzie wpierw płynęła Wisła,
Wyskoczyła wielka góra,
Rzeka Bzura całkiem prysła,
A powstała góra Bzura.
Stary Giewont zląkł się wielce
I przykucnął pod parkanem,
Każdy myślał, że to Kielce,
A to było Zakopane.
Łódź pobiegła pod Opole
W jakichś bardzo ważnych sprawach –
Tylko nikt nie wiedział w szkole,
Gdzie podziała się Warszawa.
Nie było jej na Śląsku ani w Poznańskiem,
Ani na Pomorzu, ani pod Gdańskiem,
Ani na Ziemiach Zachodnich,
Ani na północ od nich,
Ani blisko, ani daleko,
Ani nad żadną rzeką,
Ani nad żadnym z mórz,
Po prostu przepadła – i już!

Trzeba prędzej oddać globus do naprawy,
Bo nie może Polska istnieć bez Warszawy!

Jasne jak słońce

Gdy pełzną dwa zaskrońce,
Z nich każdy ogon ma.
To jasne jest jak słońce
I jak dwa razy dwa.

Gdy wierzgnąć kogoś koń chce,
W tył wierzga, a nie w przód.
To jasne jest jak słońce,
To proste jest jak drut.

Kij zawsze ma dwa końce,
A sroka nogi dwie,
To jasne jest jak słońce
I każdy o tym wie.

Gdy grać na trąbie słoń chce,
Nie potrzebuje nut,
To jasne jest jak słońce,
To proste jest jak drut.

Lecz co dzień, zanim zasnę,
Zamyślam się przed snem:
Choć słońce takie jasne,
Cóż ja o słońcu wiem?

Po rozum do głowy

Bywa tak, że gdy człowiek pogrąży się we śnie,
Członki ciała nie mogą zasnąć jednocześnie.
Człowiek śpi, a tu naraz odezwą się uda:

„Całą noc tak przeleżeć – toż po prostu nuda,
Zwłaszcza że my jesteśmy pełne animuszu”.

Na to łokieć odpowie: „Puszczam mimo uszu
Waszą głupią uwagę. Ona mnie nie wzruszy”.

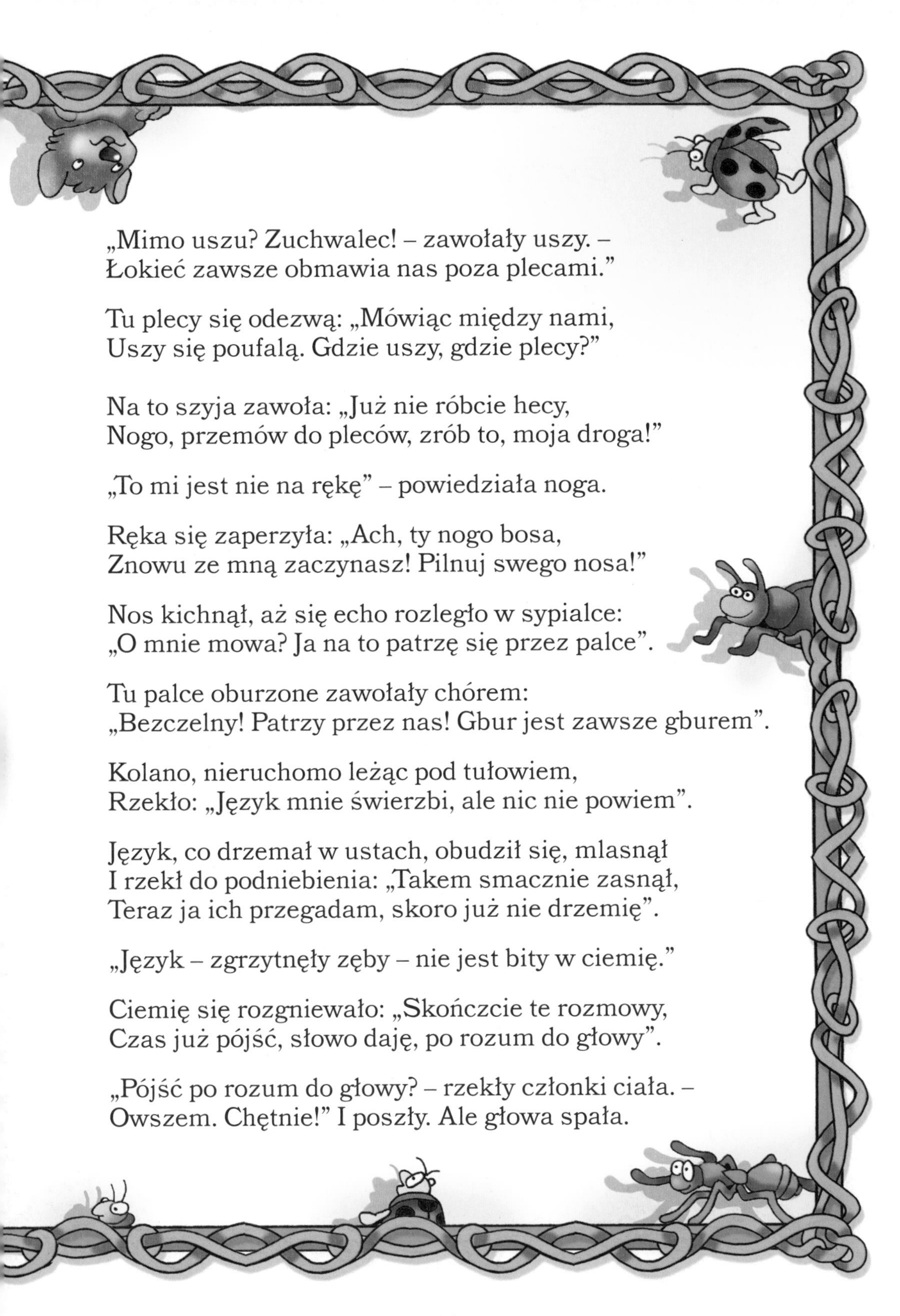

„Mimo uszu? Zuchwalec! – zawołały uszy. –
Łokieć zawsze obmawia nas poza plecami."

Tu plecy się odezwą: „Mówiąc między nami,
Uszy się poufalą. Gdzie uszy, gdzie plecy?"

Na to szyja zawoła: „Już nie róbcie hecy,
Nogo, przemów do pleców, zrób to, moja droga!"

„To mi jest nie na rękę" – powiedziała noga.

Ręka się zaperzyła: „Ach, ty nogo bosa,
Znowu ze mną zaczynasz! Pilnuj swego nosa!"

Nos kichnął, aż się echo rozległo w sypialce:
„O mnie mowa? Ja na to patrzę się przez palce".

Tu palce oburzone zawołały chórem:
„Bezczelny! Patrzy przez nas! Gbur jest zawsze gburem".

Kolano, nieruchomo leżąc pod tułowiem,
Rzekło: „Język mnie świerzbi, ale nic nie powiem".

Język, co drzemał w ustach, obudził się, mlasnął
I rzekł do podniebienia: „Takem smacznie zasnął,
Teraz ja ich przegadam, skoro już nie drzemię".

„Język – zgrzytnęły zęby – nie jest bity w ciemię."

Ciemię się rozgniewało: „Skończcie te rozmowy,
Czas już pójść, słowo daję, po rozum do głowy".

„Pójść po rozum do głowy? – rzekły członki ciała. –
Owszem. Chętnie!" I poszły. Ale głowa spała.

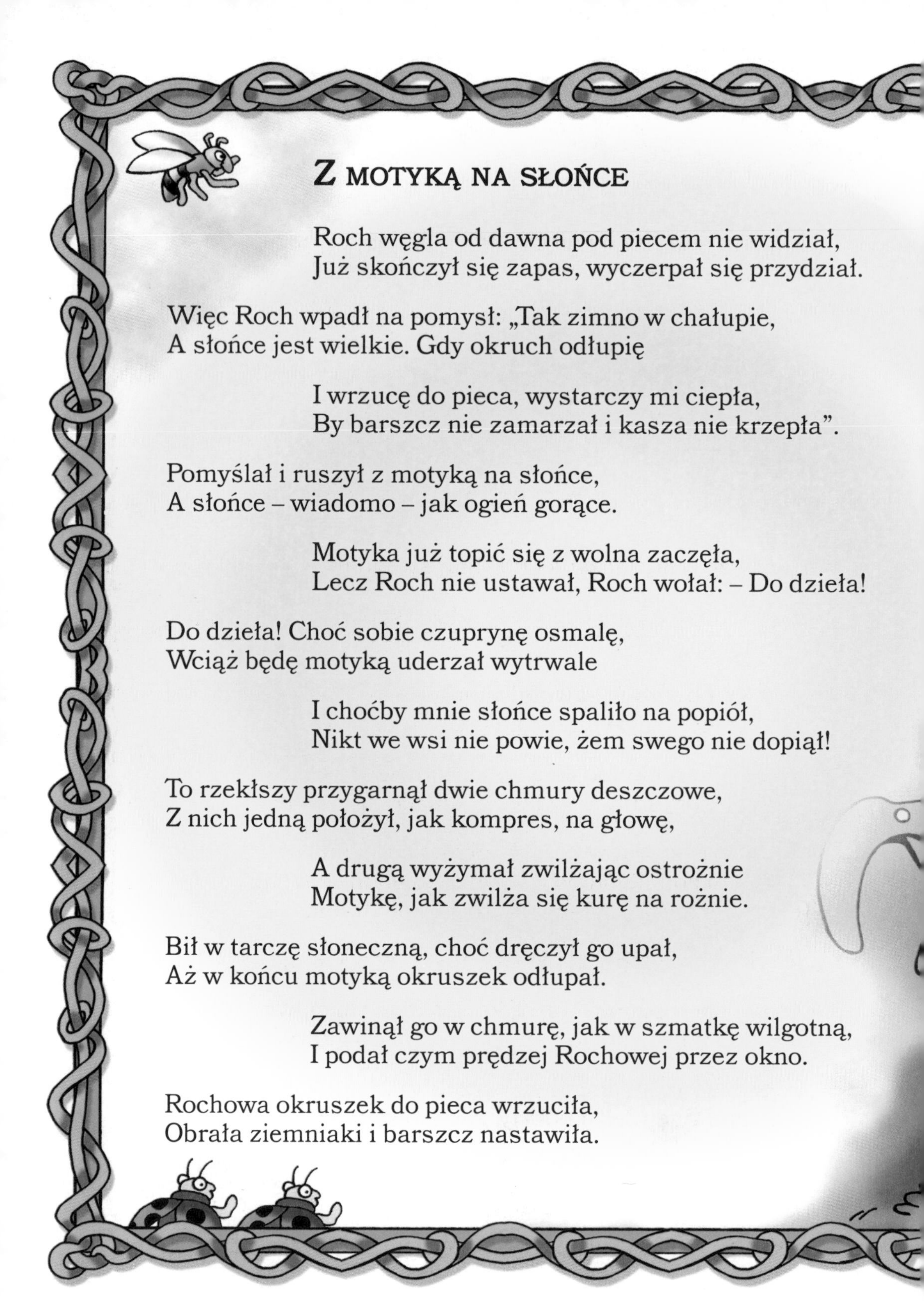

Z MOTYKĄ NA SŁOŃCE

Roch węgla od dawna pod piecem nie widział,
Już skończył się zapas, wyczerpał się przydział.

Więc Roch wpadł na pomysł: „Tak zimno w chałupie,
A słońce jest wielkie. Gdy okruch odłupię

I wrzucę do pieca, wystarczy mi ciepła,
By barszcz nie zamarzał i kasza nie krzepła”.

Pomyślał i ruszył z motyką na słońce,
A słońce – wiadomo – jak ogień gorące.

Motyka już topić się z wolna zaczęła,
Lecz Roch nie ustawał, Roch wołał: – Do dzieła!

Do dzieła! Choć sobie czuprynę osmalę,
Wciąż będę motyką uderzał wytrwale

I choćby mnie słońce spaliło na popiół,
Nikt we wsi nie powie, żem swego nie dopiął!

To rzekłszy przygarnął dwie chmury deszczowe,
Z nich jedną położył, jak kompres, na głowę,

A drugą wyżymał zwilżając ostrożnie
Motykę, jak zwilża się kurę na rożnie.

Bił w tarczę słoneczną, choć dręczył go upał,
Aż w końcu motyką okruszek odłupał.

Zawinął go w chmurę, jak w szmatkę wilgotną,
I podał czym prędzej Rochowej przez okno.

Rochowa okruszek do pieca wrzuciła,
Obrała ziemniaki i barszcz nastawiła.

Buzuje się okruch słoneczny na ruszcie,
A wy, jeśli chcecie, czyn Rocha powtórzcie.

Nauka zaś taka z wierszyka wynika,
Że może każdemu się przydać motyka.

Babulej i Babulejka

Pod Oszmianą nad Wilejką
Żył Babulej z Babulejką,
Ona była czarodziejką,
On – rzecz prosta – czarodziejem
I jadali mak z olejem
Babulejka z Babulejem.

Babulejka raz powiada:
„Babuleju, tak się składa,
Że mam starą koźlą skórę
Odwieźć dziś na Łysą Górę”.

Więc Babulej z Babulejką
Pojechali taradejką.

Nagle koń okulał w drodze,
Aż Babulej zaklął srodze.
Jeśli kuleć chcesz, to kulej!" –
Rezolutnie rzekł Babulej
zostawił konia w tyle.

Taradejka jedzie milę,
Jedzie drugą, wtem na trzeciej
Koło wprost do rowu leci,

Aż Babulej parsknął śmiechem:
Ładna jazda z takim pechem,
Cóż – na miotle jeżdżą wiedźmy,
To my na trzech kołach jedźmy!"

adą dalej, wtem na szosie
Pogubili obie osie.
Mocniej siedź na taradejce" –
Rzekł Babulej Babulejce
ze śmiechem ściągnął lejce.

Tym sposobem znów przebyli
Siedem mil. Na ósmej mili
Taradejka się rozpadła,
Babulejka tylko zbladła,

A Babulej tak powiada:
„Zawsze jest na wszystko rada –
Bat nam został w tej podróży,
Niech w podróży dalszej służy".

Więc na bacie siedli wierzchem,
Pojechali, a przed zmierzchem
Byli już na Łysej Górze
I na koźlej siedząc skórze,
Zajadali mak z olejem
Babulejka z Babulejem.

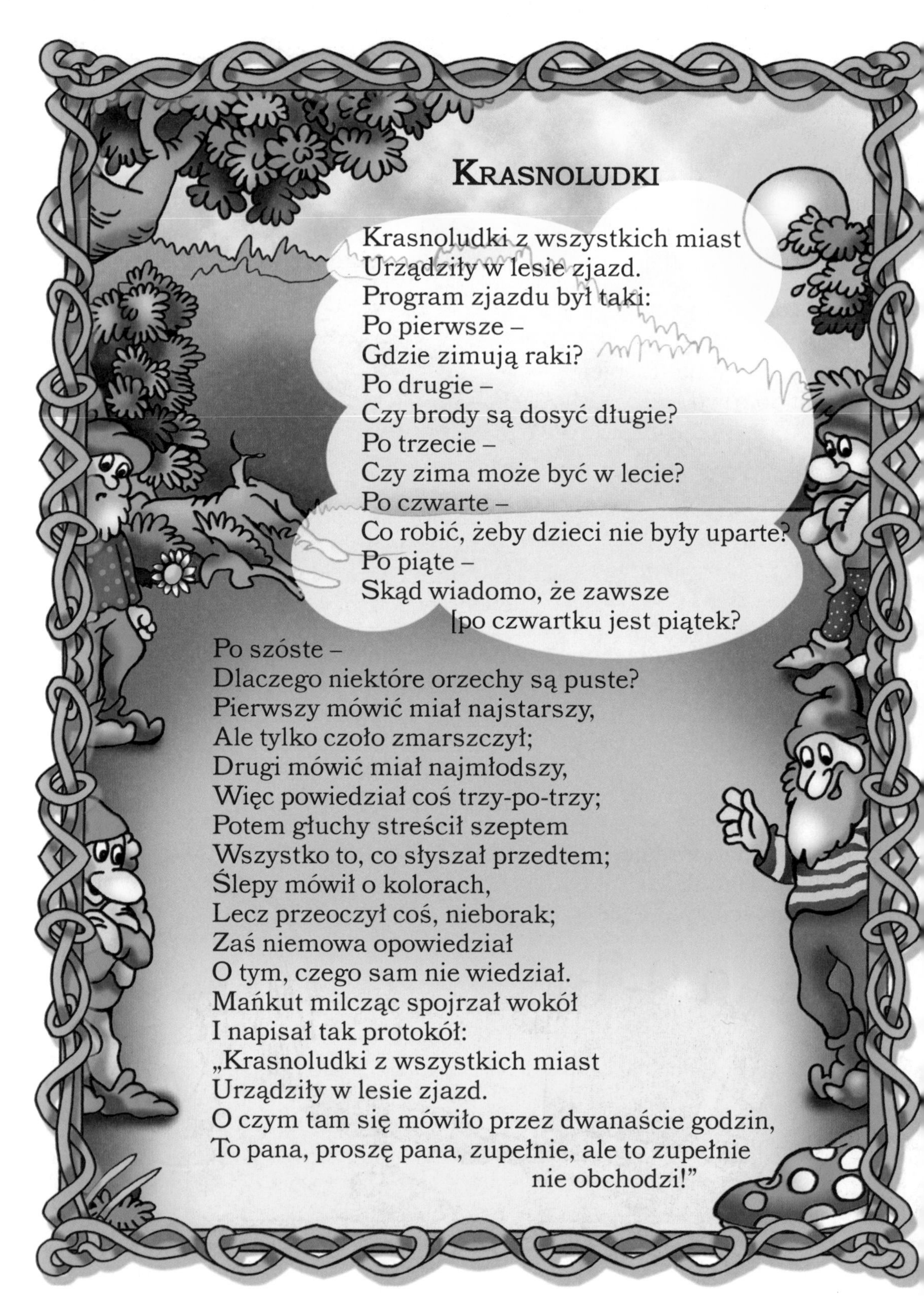

Krasnoludki

Krasnoludki z wszystkich miast
Urządziły w lesie zjazd.
Program zjazdu był taki:
Po pierwsze –
Gdzie zimują raki?
Po drugie –
Czy brody są dosyć długie?
Po trzecie –
Czy zima może być w lecie?
Po czwarte –
Co robić, żeby dzieci nie były uparte?
Po piąte –
Skąd wiadomo, że zawsze
[po czwartku jest piątek?
Po szóste –
Dlaczego niektóre orzechy są puste?
Pierwszy mówić miał najstarszy,
Ale tylko czoło zmarszczył;
Drugi mówić miał najmłodszy,
Więc powiedział coś trzy-po-trzy;
Potem głuchy streścił szeptem
Wszystko to, co słyszał przedtem;
Ślepy mówił o kolorach,
Lecz przeoczył coś, nieborak;
Zaś niemowa opowiedział
O tym, czego sam nie wiedział.
Mańkut milcząc spojrzał wokół
I napisał tak protokół:
„Krasnoludki z wszystkich miast
Urządziły w lesie zjazd.
O czym tam się mówiło przez dwanaście godzin,
To pana, proszę pana, zupełnie, ale to zupełnie
nie obchodzi!”

Tańcowała igła z nitką

Tańcowała igła z nitką,
Igła – pięknie, nitka – brzydko.

Igła cała jak z igiełki,
Nitce plączą się supełki.

Igła naprzód – nitka za nią:
„Ach, jak cudnie tańczyć z panią!”

Igła biegnie drobnym ściegiem,
A za igłą – nitka biegiem.

Igła górą, nitka bokiem,
Igła zerka jednym okiem,

Sunie zwinna, zręczna, śmigła.
Nitka szepce: „Co za igła!”

Tak ze sobą tańcowały,
Aż uszyły fartuch cały!

Atrament

Nikt opisać nie potrafi,
Jaki w szkole powstał zamęt,
Gdy na lekcji geografii
Nagle wylał się atrament.

Porozlewał się po mapie,
Co leżała na katedrze,
Tutaj cieknie, tam znów kapie,
Wnet do różnych miast się wedrze,

W Kocku, w Płocku, w Radzyminie
Czarne kleksy się rozprysły
I atrament dalej płynie,
I już wlewa się do Wisły.

Pewien strażak dla ochłody
Miał się kąpać w tym momencie,
Zdjął ubranie, wszedł do wody,
Lecz się znalazł w atramencie.

Strażakowi zrzedła mina:
„Cóż to znowu za pomysły!"
I czarniejszy od Murzyna
Wyszedł strażak z nurtów Wisły.

Długo martwił się i smucił:
„W straży tak się nie pokażę..."
Więc do straży nie powrócił,
Tylko został kominiarzem.

PSIE SMUTKI

Na brzegu błękitnej rzeczki
Mieszkają małe smuteczki.

Ten pierwszy jest z tego powodu,
Że nie wolno wchodzić do ogrodu,
Drugi – że woda nie chce być sucha,
Trzeci – że mucha wleciała do ucha,
A jeszcze, że kot musi drapać,
Że kura nie daje się złapać,
Że nie można gryźć w nogę sąsiada
I że z nieba kiełbasa nie spada,
A ostatni smuteczek jest o to,
Że człowiek jedzie, a piesek musi biec piechotą.

Lecz wystarczy pieskowi dać mleczko
I już nie ma smuteczków nad rzeczką.

Jak rozmawiać trzeba z psem

Wy nie wiecie, a ja wiem,
Jak rozmawiać trzeba z psem,

Bo poznałem język psi,
Gdy mieszkałem w pewnej wsi.

A więc wołam: – Do mnie, psie!
I już pies odzywa się.

Potem wołam: – Hop-sa-sa!
I już mam przy sobie psa.

A gdy powiem: – Cicho leż!
Leżę ja i pies mój też.

Kiedy dłoń wyciągam doń,
Grzecznie liże moją dłoń

I zabawnie szczerzy kły,
Choć nie bywa nigdy zły.

Gdy psu kość dam – pies ją ssie,
Bo to są zwyczaje psie.

Gdy pisałem wierszyk ten,
Pies u nóg mych zapadł w sen,

Potem wstał, wyprężył grzbiet,
Żebym z nim na spacer szedł.

Szliśmy razem – ja i on,
Pies postraszył stado wron,

Potem biegł zwyczajem psim,
A ja biegłem razem z nim.

On ujadał. A ja nie.
Pies i tak rozumie mnie,

Pies rozumie, bo ja wiem,
Jak rozmawiać trzeba z psem.

ŚLIMAK

„Mój ślimaku, pokaż rożki,
Dam ci sera na pierożki."

Ale ślimak się opiera:
„Nie chcę sera, nie jem sera!"

„Pokaż rożki, mój ślimaku,
Dam ci za to garstkę maku."

Ślimak chowa się w skorupie:
„Głupie żarty, bardzo głupie".

„Pokaż rożki, mój kochany,
Dam ci za to łyk śmietany."

Ślimak gniewa się i złości:
„Powiedziałem chyba dość ci!”

Ale żona, jak to żona,
Nic jej nigdy nie przekona,

Dalej męczy: „Pokaż rożki,
Dam ci za to krawat w groszki”.

Ślimak całkiem już znudzony
Rzecze: „Dość mam takiej żony,

Życie z tobą się ślimaczy,
Muszę zacząć żyć inaczej!”

I nie mówiąc nic nikomu,
Po kryjomu wyszedł z domu.

Lecz wyjść z domu dla ślimaka
To jest rzecz nie byle jaka.

Ślimak pełznie środkiem parku,
A dom wisi mu na karku,

A z okienka patrzy żona
I wciąż woła niestrudzona:

„Pokaż rożki, pokaż rożki,
Dam ci wełny na pończoszki!”

Ślimak jęknął i oniemiał,
Tupnął nogą, której nie miał,

Po czym schował się w skorupie
I do dziś ze złości tupie.

Siedmiomilowe buty

Pojechał Michał pod Częstochowę,
Tam kupił buty siedmiomilowe.

Co stąpnie nogą – siedem mil trzaśnie,
Bo Michał takie buty miał właśnie.

Szedł pełen dumy, szedł pełen buty,
W siedmiomilowe buty obuty.

W piętnaście minut był już w Warszawie.
„Tutaj – powiada – dłużej zabawię!"

Żona spojrzała i zapłakała:
„Już nie dopędzę mego Michała".

Dzieci go ciągle tramwajem gonią,
A on już w Kutnie, a on już w Błoniu.

Wybrał się Michał z żoną do kina,
Lecz zawędrował do Radzymina.

Chciał starszą córkę odwiedzić w mieście,
Adres – wiadomo – Złota 30.

Poszedł piechotą, bo było blisko,
Trafił na Złotą, ale w Grodzisku.

Raz się umówił z teściem na rynku,
Zanim się spostrzegł – był w Ciechocinku.

Pobiegł z powrotem, myśląc, że zdąży,
I wnet się znalazł na rynku... w Łomży.

Chciał do Warszawy powrócić wreszcie,
Ale co chwila był w innym mieście,

W Kielcach, w Kaliszu, w Płocku, w Szczecinie
I w Skierniewicach, i w Koszalinie,

Nie mógł utrafić! Więc pod Opocznem
Jęknął żałośnie: „Tutaj odpocznę!"

Usiadł i spojrzał ogromnie struty
Na swoje siedmiomilowe buty,

Zdjął je ze złością, do wody wrzucił
I na bosaka do domu wrócił.

Orzech

Miał pan rejent ze Zwolenia
Twardy orzech do zgryzienia,

Nim go rozgryzł do połowy,
Stracił kieł i ząb trzonowy,

Wreszcie krzyknął: „A to gratka,
Proszę mi poszukać dziadka!"

Przybiegł dziadek siwiuteńki,
Twardy orzech wziął do ręki.

„Opamiętaj się, człowieku,
Nie mam zębów od pół wieku,

Taka sztuka to dla wnuka,
Niechaj służba go poszuka."

Wnuk, wiadomo, był siłaczem:
„Niechaj orzech ten zobaczę".

Wziął go, włożył między szczęki:
„Rzeczywiście, nie jest miękki!"

Po upływie pół godziny
Pot już spływał mu z czupryny.

Wreszcie przerwał ciężką pracę:
„Nie poradzę, zęby stracę,

Ale znam kowala w mieście,
Co ten orzech stłucze wreszcie".

Posłał rejent po kowala,
A już kowal się przechwala:

„Dla mnie to jest rzecz nienowa,
Jestem, panie, z Żelechowa,

A wiadomo, że Żelechów
Słynie z dziadków do orzechów".

Huknął kowal wielkim młotem,
A młot rozpadł się z łoskotem.

Jęknął kowal: „Co za orzech,
Żadna siła go nie zmoże,

Twardy orzech do zgryzienia,
Nie poradzę. Do widzenia".

Poszedł kowal, a tymczasem
Właśnie szła wiewiórka lasem.

Do pokoju oknem wpadła,
Orzech zgryzła, jądro zjadła,

O czym rejent jak najprędzej
Spisał akt w ogromnej księdze.

Mleko

– Co się stało, co się stało?
– Gwałtu, mleko wyleciało!

Przeraziła się kucharka,
Wyleciało mleko z garnka

I jak białe prześcieradło
Na patelni wierzchem siadło.

Jęło fruwać pod sufitem,
Przyśpiewując sobie przy tym:

– Dobre mleczko, smaczne mleczko,
Nie dla ciebie, kochaneczko!

Rozgniewała się kucharka
I na mleko głośno sarka:

– Któż to słyszał, żeby mleko
Wyleciało tak daleko?

Zsiądź z patelni, zsiądź już prędzej,
Bo na zawsze cię przepędzę!

Na te słowa mleko zbladło,
Przestraszyło się i zsiadło.

Chodźcie do nas. Zjedzcie z nami
Zsiadłe mleko z ziemniakami.

Włos

Pan starosta jadł przy stole,
Naraz patrzy – włos w rosole.
Krzyknął więc na cały głos:
„Chciałbym wiedzieć, czyj to włos!

Co to jest za zwyczaj taki,
Żeby w zupie były kłaki?
Starościno, co chcesz, rób,
Ja nie jadam takich zup!”

Starościna aż pobladła,
Z przerażenia z krzesła spadła,
Patrzy w talerz: marny los,
Rzeczywiście – w zupie włos.

Wpadła z krzykiem na kucharza:
„Że też taka rzecz się zdarza,
Włos w rosole, ładna rzecz –
Niech pan sobie idzie precz!"

Kucharz zgubił okulary,
Włożył buty nie do pary,
Do talerza wetknął nos:
Rzeczywiście – w zupie włos.

Wstyd okropnie starościnie,
Dowiedziano się w rodzinie,
Że starosta nie chce jeść,
Przybiegł wuj i stryj, i teść.

Teść przybliżył się do misy
I powiada: „Jestem łysy,
Włos na pewno nie jest mój.
Może wie coś o tym wuj?"

Wuj z kieszeni wyjął lupę
I przez lupę bada zupę:
„Widzę włos, lecz nie wiem czyj,
Może zna się na tym stryj".

Stryj przybliżył się do stołu,
Zajrzał bacznie do rosołu,
Po czym gwizdnął niby kos:
„Znam się na tym – to jest włos".

Sprowadzono geometrę,
Żeby zmierzył centymetrem
I powiedział wszystkim wprost,
Co to w zupie jest za włos.

Geometra siadł za stołem,
Mierzył, liczył coś z mozołem,
Zużył kartek cały stos
I powiedział: „To jest włos!

Ja się na tym nie znam, lecz czy
Nie pomoże sędzia śledczy?
Węszę tutaj zbrodni ślad,
Skoro włos do zupy wpadł".

Sędzia śledczy sprawę zbadał
I powiada: „Trudna rada,
Muszę w sprawie zabrać głos,
Proszę państwa, to jest włos".

Wtem ktoś myśl wysunął nową:
„Trzeba wezwać straż ogniową".
Pan starosta zmarszczył twarz:
„Może być ogniowa straż".

Przyjechali wnet strażacy,
Raźnie wzięli się do pracy
I wyjęli z zupy włos:
Taki to był włosa los!

Smok

Na Wawelu, proszę pana,
Mieszkał smok, co zawsze z rana
Zjadał prosię lub barana.

Przy obiedzie smok połykał
Cztery kury lub indyka,
Nadto krowę albo byka.

Nagle raz, przy Wielkim Piątku,
Krzyknął: „Coś tu nie w porządku!"
Poczuł wielki ból w żołądku,

Potem spuchła mu wątroba,
Dwa migdały, płuca oba,
Jak choroba, to choroba!

Smok pomyślał: „Proszę, proszę,
Nie mam zdrowia za dwa grosze,
Czas już zostać mi jaroszem".

I smok biedny od tej pory,
By oczyścić krew i pory,
Jadał marchew, jadał pory,

Groch, selery i kapustę,
Wszystko z wody i nietłuste,
Żeby kiszki były puste.

Tak za roczkiem mijał roczek,
Smok nasz stał się jak wymoczek,
Wprost nie smok, lecz zwykły smoczek.

Odtąd każda mądra niania
Dziecku daje go do ssania.

Król i błazen

Był król, co prosto z błota
Szedł w pałacowe wrota
I nie wycierał nóg,
Chociaż je wytrzeć mógł.

Sililі się ochmistrze,
By mieć podłogi czystsze,
Lecz brud przynosił król
Z polowań, z łąk i pól.

Martwili się dworzanie,
Że pałac jest w tym stanie,
Bo nikt już nie miał sił,
By zmiatać brud i pył.

Podłoga jest ze złota,
Lecz pełno na niej błota,
Osiada wszędzie kurz...
Któż skarci króla, któż?

Wzdychały dworskie damy:
„Jakżeż powiedzieć mamy –
Nasz królu, tak a tak...
Odwagi na to brak”.

Radzili ministrowie,
Kto to królowi powie,
Lecz każdy z nich się bał:
A nuż król wpadnie w szał?

Miał błazna król na dworze.
Raz król był nie w humorze,
Więc gońca wysłał wnet,
By błazen zaraz szedł.

I król powiada: „Błaźnie,
Mam humor zły wyraźnie,
Coś wesołego mów,
Chcę słuchać twoich słów!”

Popatrzył błazen chytrze:
„Niech król wpierw nogi wytrze,
Nie znoszę, gdy jest brud,
A tu jest brudu w bród”.

Król uniósł w górę palec:
„A cóż to za zuchwalec!”
Wtem rozpogodził twarz:
„Wiesz, błaźnie, rację masz!

Masz rację, kiedy wchodzę,
Zostawiam na podłodze
I brud, i pył, i kurz,
Z tym trzeba skończyć już!

Hej, służba! Hej, sprzątaczki!
Przynoście wycieraczki!
A kto nie wytrze nóg,
Nie wpuszczać go przez próg!

Wycierać trzeba nogi,
Bo brudzą się podłogi,
Kurz wdziera się do płuc,
Brudasów każę tłuc!”

I odtąd król ten srogi
Dbał bardzo o podłogi,
A gdy przez próg szedł, wprzód
Wycierał każdy but.

Ta bajka jest zmyślona,
Ale zachęca ona,
Jak każdy stwierdzić mógł,
Do wycierania nóg.

Ziewadło

Wyszedł Romek
Przed domek
Szukać w sadzie poziomek.
Znalazł jedną – zjadł,
Znalazł drugą – zjadł,
Sprzykrzył mu się sad,
Na kamieniu siadł
W cieniu drzewa
I ziewa,
I ziewa,
I ziewa.

– Oj, ziewadło, ziewadło,
Co cię dzisiaj napadło?
– A tak sobie poziewuję,
Bo dostałem aż trzy dwóje:
Pomyliłem rzekę Biebrzę,
Powiedziałem „koń" o zebrze,
Rozmawiałem na algebrze.
A gdy miewa się złe stopnie,
Wtedy ziewa się okropnie.

– Ze zmęczenia, proszę lenia?
– Ze zmęczenia, ze zmartwienia...

– Oj, ziewadło, ziewadło,
Wszystko spać się pokładło
I na ciebie też już czas.

– Czemu mnie pan tak pogania?
Ziewnę sobie jeszcze raz,
Będę piątkę miał z ziewania.

Śpioch

Żył sobie raz chłop na świecie,
Mieszkał w smorgońskim powiecie,
A zwał się Drzemalski Roch,
Największy pod słońcem śpioch.

Kto inny sieje i orze,
A on się wyspać nie może.
Od świtu śpi aż po świt:
Po prostu hańba i wstyd.

Powiada doń żona: „Rochu,
Zagrzałam ci miskę grochu".
Roch mlasnął, zasnął i śni
Przez nowych czternaście dni.

Przychodzi świekra i woła:
„Wstań, Rochu, idź do kościoła!"
A Roch pod pierzynę – hyc!
I śpi jakby nigdy nic.

Przyjechał starosta z miasta,
Powiada: „Wstawaj i basta!"
Roch na to: „Nie mogę wstać,
Bo bardzo chce mi się spać".

Aż śmierć się zbliża po trochu.
„No, wstawaj – powiada – Rochu,
Najwyższy na ciebie czas,
Byś wreszcie z barłogu zlazł."

ochowa snadź Rocha kocha,
hce sobą zasłonić Rocha.
)zieciaki za matką w szloch:
Nasz tato, nasz Roch, nasz śpioch!"

chłop uprzejmie śmierć wita:
Wyśpię się wreszcie do syta!"
zasnął na zawsze Roch,
Iajwiększy pod słońcem śpioch.

Cap na grapie

Wlazł kotek
Na płotek,
Ujrzał capa na grapie.
– Zmykaj, capie,
Bo cię podrapię!
A cap nic – tylko sapie.

Na grapie zebrali się gapie,
Wszyscy patrzą na capa,
A kota aż świerzbi łapa.
– Zmykaj, capie,
Bo cię podrapię!
A cap nic – tylko sapie.

Patrzą na kota gapie.
– Daj mu, capie, po czapie!
A cap nic – tylko sapie.
I nie dziwota,
Bo cap nie złapie
Kota
A kot podrapie
Capa,
Jako że cap jest gapa.

Kot mu wciąż grozi i grozi:
– Zmykaj, capie,
Bo cię podrapię!
Więc wziąwszy na rozum kozi,
Do domu umknął cap.
Teraz go, kocie, łap!

ZOO
PROSIMY
DO ZWIERZYŃCA

Zoo

Matołek raz zwiedzał Zoo
I wołał co chwila: „O-o!"
„Jaka brzydka papuga!"
„Żyrafa jest za długa!"
„Słoń za wysoki!"
„A po co komu te foki?"
„Zebra
Ma farbowane żebra!"
„Tygrys
Chętnie by mnie stąd wygryzł!"
„No, a zajrzyjmy pod daszek:
Żółw – tuś, bratku, tuś!"
„A to? Ptaszek.
Niezły ptaszek –
Struś!"
Wreszcie zbliża się do wielbłąda,
Uważnie mu się przygląda
I powiada wskazując na niego przez kraty:
„Owszem, niezły. Niczego! Szkoda tylko,
że garbaty!"

Tygrys

„Co słychać, panie tygrysie?"
„A nic. Nudzi mi się."
„Czy chciałby pan wyjść zza tych krat?"
„Pewnie. Przynajmniej bym pana zjadł."

Papuga

„Papużko, papużko,
Powiedz mi coś na uszko."
„Nic ci nie powiem, boś ty plotkarz,
Powtórzysz każdemu, kogo spotkasz."

Wilk

Powiem ci w słowach kilku,
Co myślę o tym wilku:
Gdyby nie był na obrazku,
Zaraz by cię zjadł, głuptasku.

Lis

Rudy ojciec, rudy dziadek,
Rudy ogon to mój spadek,
A ja jestem rudy lis.
Ruszaj stąd, bo będę gryzł.

Żółw

Żółw chciał pojechać koleją,
Lecz koleje nie tanieją.
Żółwiowi szkoda pieniędzy:
„Pójdę pieszo, będę prędzej".

Struś

Struś ze strachu
Ciągle chowa głowę w piachu,
Więc ma opinię mazgaja.
A nadto znosi jajka wielkości strusiego jaja.

ZEBRA

Czy ta zebra jest prawdziwa?
Czy to tak naprawdę bywa?
Czy też malarz z bożej łaski
Pomalował osła w paski?

ŻUBR

Pozwólcie przedstawić sobie:
Pan żubr we własnej osobie.
No, pokaż się, żubrze. Zróbże
Minę uprzejmą, żubrze.

Dzik

Dzik jest dziki, dzik jest zły,
Dzik ma bardzo ostre kły,
Kto spotyka w lesie dzika,
Ten na drzewo szybko zmyka.

Małpa

Małpy skaczą niedościgle,
Małpy robią małpie figle,
Niech pan spojrzy na pawiana
Co za małpa, proszę pana.

Kangur

„Jakie pan ma stopy duże,
Panie kangurze."
„Wiadomo, dlatego kangury
W skarpetkach robią dziury."

Renifer

Przyszły dwie panie do renifera.
Renifer na nie spoziera
I rzecze z galanterią: „Bardzo mi przyjemnie,
Że będą panie miały rękawiczki ze mnie".

Krokodyl

„Skąd ty jesteś, krokodylu?"
„Ja? Znad Nilu.
Wypuść mnie na kilka chwil,
To zawiozę cię nad Nil."

Żyrafa

Żyrafa tym głównie żyje,
Że w górę wyciąga szyję,
A ja zazdroszczę żyrafie,
Ja nie potrafię.

Niedźwiedź

Proszę państwa, oto miś.
Miś jest bardzo grzeczny dziś,
Chętnie państwu łapę poda.
Nie chce podać? A to szkoda.

Lew

Lew ma, wiadomo, pazur lwi,
Lew sobie z wszystkich wrogów drwi.
Bo jak lew tylko ryknie,
To wróg natychmiast zniknie.

Pantera

Pantera jest cała w cętki,
A przy tym ma bieg taki prędki,
Że chociaż tego nie lubi,
Biegnąc – własne cętki gubi.

Słoń

Ten słoń nazywa się Bombi.
Ma trąbę, lecz na niej nie trąbi.
Dlaczego? Nie bądź ciekawy,
To jego prywatne sprawy.

Spis treści

CO W TRAWIE PISZCZY

NURKA DO WODY

LATA PTASZEK

GORZKIE PRAWDY

ANDRONY

PO NOSIE

WYSSANE Z PALCA

PROSIMY DO ZWIERZYŃCA